les
hommes
et
les
femmes

Françoise Giroud
Bernard-Henri Lévy

les
hommes
et
les
femmes

OLIVIER ORBAN
76, rue Bonaparte
Paris

ISBN 2-259-02602-8

Ce livre est né d'une idée lancée par Gilles Hertzog au cours d'un déjeuner. Et si nous faisions écrire un dialogue sur les hommes et les femmes? Nous autres éditeurs, nous avons des idées de livres plein la tête. Peu voient le jour parce que le plus difficile est encore de convaincre les auteurs. Pour nous parler d'amour, j'ai tout de suite pensé à Françoise Giroud et à Bernard-Henri Lévy. Parce que Bernard est mon ami et que nous avions pris ce rendez-vous il y a vingt ans déjà, parce que j'ai toujours admiré Françoise Giroud au travers de ses écrits, je leur ai demandé de confronter leur expérience et leur philosophie.

Qu'ils soient remerciés, ici, d'en avoir accepté le risque.

Olivier ORBAN.

Ce livre est le produit de quelques conversations, menées au cours d'un beau mois d'été à l'ombre affectueuse d'un figuier.

Il se tient volontairement loin de l'actualité et du fracas du monde, dont nous nous sommes isolés quelques semaines, pour réfléchir ensemble à ce que sont devenues les relations entre hommes et femmes. Il s'agit donc, d'abord et essentiellement, de l'amour et de son cortège — le désir, la séduction, la jalousie, l'infidélité, le mariage, le désamour. Parce que, souvent, nos points de vue divergent, ces conversations ont pu être vives. Chacun a découvert chez l'autre des profils insoupçonnés.

Notre amitié, qui est ancienne, a survécu à l'épreuve. Puissent nos lecteurs trouver, à nous lire, le plaisir que nous avons pris à dialoguer ainsi — songeant à celles et ceux qui ne savent plus très bien ce qu'aimer veut dire.

F. G.
B.-H. L.

1

DE LA LIBÉRATION DES FEMMES COMME SUJET DE DÉRISION

Françoise Giroud : Aimez-vous les femmes, Bernard ?

Bernard-Henri Lévy : Et vous, Françoise, aimez-vous les hommes ?

F. G. : Je les adore avec leurs grands pieds et leurs petites lâchetés...

B.-H. L. : Et moi, avec leurs grands idéaux et leurs charmantes comédies.

F. G. : Bon. Mais, sérieusement ?

B.-H. L. : Sérieusement, je trouve qu'il y a un côté très bête dans la façon qu'ont certains hommes de dire « j'aime les femmes... ».

F. G. : Croyez-vous ? C'est plutôt le signe d'une nature heureuse, il me semble. Aimer les femmes est une disposition rare chez les hommes. Ils en font usage, c'est autre chose.

B.-H. L. : Ce qui est déplaisant c'est cette façon de considérer «les femmes» comme une masse indéfinissable, offerte à la convoitise des hommes. Les «amateurs» professionnels m'ont toujours paru, non seulement ridicules, mais suspects. Cela étant précisé, c'est vrai que je fais plutôt partie des hommes qui sont, comment dire? attentifs aux femmes...

F. G. : Moi, je les aime, bien qu'elles puissent être dures et froides comme des pierres, avec des barbelés dans le cœur. Et je les regarde, et j'observe qu'elles ont déclenché en vingt ans une révolution qui est en train d'affecter profondément leurs relations avec les hommes.

B.-H. L. : Je les observe aussi. Et je ne suis pas convaincu, moi, justement, de la « profondeur » de cette «révolution».

F. G. : Je ne suis plus opérationnelle, si j'ose dire. Je ne vis plus que les douceurs de l'amitié. Mais je vois, j'écoute, je constate, et je remarque un changement inouï. Tout se passe comme si, pour la première fois dans l'histoire depuis les Egyptiens peut-être, les femmes avaient décidé qu'elles ont droit au bonheur. François Mauriac, qui n'aimait pas les femmes, disait : « de toute façon, elles sont malheureuses. C'est leur vocation. » Eh bien, il me semble qu'elles ont changé de vocation. Et que tout est parti de là.

B.-H. L. : Je ne connaissais pas cette phrase de Mauriac. Elle est belle. Terrible mais belle.

F. G. : Elle est surtout effroyable.

B.-H. L. : C'est toute l'histoire de la littérature, vous savez. Je relisais l'autre jour (ce sont les avantages de l'été !) *Le Lys dans la vallée*. Cette pauvre Henriette de Mortsauf, amoureuse de son Félix, mais contrainte de cacher cet amour, de le rêver en secret — et puis de l'avouer enfin, mais trop tard, dans une lettre bouleversante et, il faut bien le dire, pitoyable : le désir, pour elle, est quelque chose d'horrible, fautif, vaguement honteux.

F. G. : Et dont elle ne sait guère, c'est même le plus incroyable, que ce qu'elle a lu dans les livres ! Une sorte d'ignorance, en fait. D'« interdit » sur l'idée même de bonheur.

B.-H. L. : Oui. Encore qu'il faudrait pouvoir savoir ce que Madame de Mortsauf pense *réellement*.

F. G. : Je crois qu'on le sait assez bien.

B.-H. L. : Et si c'était plus compliqué? Plus pervers? Si elle prenait un malin plaisir — mais un plaisir quand même — à brouiller les pistes, jouer les victimes?

F. G. : Elle ne joue pas. Elle *est* victime. C'est ainsi depuis la nuit des temps. Voyez le discours des Grecs, Aristote, Platon, etc. — la femme est considérée comme «mauvaise», «dangereuse» pour l'homme.

B.-H. L. : C'est le mythe de Pandore. Non seulement chez les Grecs, mais à l'âge moderne. Cette femme, souvent très belle, qui répand vices et maladies sur notre pauvre terre.

F. G. : Il y a autre chose. D'abord l'homme ne peut jamais être sûr de sa paternité, ce qui suffirait à le rendre nerveux. Donc il faut boucler les femmes à la maison, ce qui a été fait. Ensuite elles sont suspectes d'épuiser l'énergie de l'homme, si on les laisse faire...

B.-H. L. : Ce qui, pour le coup, n'est pas faux. Ce n'est pas une raison, certes, pour les «boucler à la maison». Mais c'est vrai que les femmes sont des êtres redoutables qui n'ont pas leur pareil pour se jouer des hommes, les éblouir, les fasciner — et, parfois, les perdre. J'aime bien, moi, cette idée d'un pouvoir démesuré des femmes...

F. G. : Et réciproquement. Mais l'homme n'est jamais mis en accusation. Alors que la mangeuse d'hommes est une figure éternelle, la femme à la capacité jamais épuisée de jouissance qui en demande encore à un malheureux, penaud d'être exténué. On retrouve tout cela à travers les imprécations contre les femmes. Donc : les tenir, les brider.

B.-H. L. : L'erreur est là. Car c'est assez beau, je vous le répète, cette façon qu'ont les hommes de se laisser égarer, de perdre la tête à cause des femmes. Tous ces puissants... Ces fats... Ces hommes de gloire et d'influence... Une femme survient — et hop ! tout l'édifice se lézarde, tout le savant équilibre bascule...

F. G. : Au XIXe siècle encore les maris se vantaient de ne pas éveiller les sens de leur épouse pour être tranquilles. Là-dessus est venu le poids de vingt siècles de culture chrétienne où le masochisme féminin a été socialement valorisé, où on leur a enseigné que le sacrifice de soi était admirable, la souffrance plus respectable que le plaisir.

B.-H. L. : Là, vous confondez deux choses, chère Françoise. L'esprit bourgeois d'un côté, avec ses petits maris peine-à-jouir, un peu sordides, qui font tout ce qu'ils peuvent pour « ne pas éveiller les sens de leur compagne » — la fameuse phrase de Cocteau, qui m'a toujours semblé si drôle, et si juste : « tous les maris sont laids »... Et la culture chrétienne de l'autre — qui pose en effet qu'il n'y a pas de plaisir sans une forme de souffrance mais qui a, convenez-en, une tout autre allure !

F. G. : Croyez-vous ?

B.-H. L. : Et comment ! Prenez n'importe quelle vie de sainte... N'importe quelle amoureuse chrétienne, fût-elle ivre de dolorisme... Sacrifice ou pas, c'est autre chose qu'Ivana Trump ! C'est quand même plus excitant — érotiquement plus excitant !

F. G. : J'en conviens. Mais ce n'est pas la question. Ce masochisme, ce goût de se faire souffrir, ce n'est pas une malédiction féminine, même si on l'observe plus souvent chez les femmes que chez les hommes. Mais il a été complètement hypertrophié, généralisé par le poids des structures culturelles, sociales. « Souffrez, et vous aurez l'âme noble ! »

B.-H. L. : Les « structures culturelles et sociales » n'ont rien à voir. Le lien entre le plaisir et une certaine souffrance, entre la volupté et une forme de transe, ou de mortification, c'est une chose très ancienne, qui traverse les siècles — et qui, pardonnez-moi, ne me paraît pas sans fondement. L'extase, hein? qu'est-ce que l'extase sinon une douleur? une dépossession? une annihilation de soi, dans la douleur?

F. G. : Laissons l'extase. Longtemps, Mauriac a eu raison. Les femmes ont aimé être malheureuses. Mais voilà que les vieilles structures se sont, je le maintiens, désintégrées. Il reste les vraies masochistes, bien sûr; et alors, c'est sans fond. Mais pour la plupart, une chape de plomb a fondu. Elles sont tout bonnement en quête de bonheur. Plus capables qu'autrefois de réactions simples et gourmandes à la vie.

B.-H. L. : Qu'est-ce que vous appelez les vraies masochistes? Je vais peut-être vous choquer : mais, une fois admis ce qu'il pouvait y avoir d'insupportable dans ce déni millénaire du droit à l'amour pour les femmes, de leur droit au désir, au plaisir, etc., je suis personnellement convaincu qu'il n'y a pas d'érotisme féminin sans une part, au moins, de cela; et, inversement, qu'un monde où elles seraient vouées à vos « réactions simples » serait un monde beaucoup

15

plus triste. Y compris, bien sûr, pour les femmes elles-mêmes.

F. G. : Voilà bien une idée d'homme ! Un monde où, par hypothèse, les femmes seraient heureuses serait un monde triste. J'ai envie de vous demander : triste pour qui ? Même Freud, qui Dieu sait n'était pas féministe, n'a jamais écrit que le masochisme était une dimension de la sensualité féminine ! Ces vingt siècles nous ont laissé, me semble-t-il, des héritages plus précieux que la «honte chrétienne», la permanente, la ravageante culpabilité des femmes. D'ailleurs, en aurait-on le goût, la trouverait-on pleine de charmes, le fait est que, lentement, elle s'évacue et qu'il faut apprendre à vivre avec des femmes dissipées, dans leur tête veux-je dire. Je ne dis pas que c'est simple. Ce n'est pas simple pour elles non plus.

B.-H. L. : La question n'est pas de savoir si c'est simple, mais si c'est possible. Vous dites : la «honte chrétienne». Je préfère dire, moi, le péché. Ou le mal. Et je pense, ne vous en déplaise, qu'il est, ce sentiment du péché, quelque chose d'indépassable, complètement lié au désir et au plaisir. C'est, puisque vous le citez, la conviction de Freud. Et je ne vois réellement pas comment on peut faire l'impasse sur cette part noire, ou coupable, dans les relations amoureuses...

16

F. G. : Qui prétend faire l'impasse?

B.-H. L. : Si. Puisque vous dites que «s'évacue», dans la tête des femmes, toute une négativité mauvaise, léguée par le judéo-christianisme.

F. G. : C'est «évacuer» qui vous gêne?

B.-H. L. : Oui. Parce que cela est enfoui dans le tréfonds des âmes. Je vais vous faire un aveu : je ne crois pas avoir jamais rencontré de femme — ni, d'ailleurs, d'homme — réellement «libérés».

F. G. : Je vous en présenterai.

B.-H. L. : Non. Car cela n'existe pas.

F. G. : De toute façon, vous avez déplacé la question. Je vous parlais du masochisme, et je maintiens que, pour le plus grand nombre, c'est un caractère acquis dont il est fort malaisé de se dégager, d'ailleurs... Vous me répondez péché, crime, mal... Les grands mots, quoi! De ce côté-là, soyons tranquilles. Ni les femmes, ni les hommes, ne risquent d'être de sitôt «libérés». A propos savez-vous que les Chinois et les Chinoises ignorent jusqu'à la notion de péché? Ils ont pourtant une vie érotique assez intense, et, dit-on, assez raffinée.

B.-H. L. : Les Eskimos, non plus, ne connaissent pas la jalousie. Et il paraît que dans les igloos quand un étranger arrive, le fin du fin de l'hospitalité consiste à lui fourguer sa femme. C'est drôle. Sans doute plaisant. Mais je ne vois pas ce que cela change.

F. G. : Pour eux, cela change beaucoup de choses. Ils ne mettent pas le diable dans leur lit.

B.-H. L. : Oui, mais pour nous?

F. G. : Cela signifie qu'il y a quelque part des humains qui ont, avec l'acte d'amour, un rapport différent du nôtre. Mais c'est une autre histoire. Gardons le péché, le crime, le mal dont nous ne saurions nous défaire. Encore faut-il savoir où l'on met le mal et où le sacré. Je dis, et c'est tout simple, que dans un immense effort, les femmes sont en train de se libérer d'elles-mêmes. De qui d'autre se libère-t-on jamais? Et d'évacuer une bonne part au moins de la culpabilité qui s'attache depuis des siècles non seulement à leurs relations amoureuses mais à toutes leurs conduites.

B.-H. L. : Eh bien, je dis, moi — et c'est, également, tout simple — que l'on ne se libère pas

« comme cela » de la culpabilité. L'espèce humaine est coupable. Elle l'est originairement. Les femmes le sont aussi...

F. G. : Je vous en prie, n'ayez pas la vulgarité de croire, pas vous, qu'une femme libérée d'elle-même se met aussitôt à courir comme une chienne, comme les hommes courent les femmes.

B.-H. L. : Qui parle de courir comme une chienne ?

F. G. : Elles sont rarement collectionneuses, même s'il y en a. Toutes les enquêtes montrent d'ailleurs, dans la mesure où l'on peut s'y fier, que contrairement à une idée reçue, les mœurs amoureuses ont très peu évolué.

B.-H. L. : Vous voyez !

F. G. : Mais, ce qui est majeur, le langage s'est libéré et, avec lui, l'approche des femmes à leur sensualité, qu'elles ont l'immense prétention de vouloir heureuse, non atrophiée. Quel scandale !

B.-H. L. : Je répète : qui parle de « sensualité atrophiée » ? et de « collectionneuses » ? et de femmes qui courent « comme des chiennes » ? S'il y a de la chiennerie quelque part — mais c'est vous qui prononcez le mot — c'est dans le désir en général, dans son déchaînement, dans ses jeux. Etant entendu, rassurez-vous, qu'hommes et femmes sont, en l'occurrence, logés à même enseigne ! Exactement à la même enseigne !

F. G. : C'est une affaire de marchands. C'est l'exploitation mercantile des pulsions sexuelles dans la publicité, dans la musique et les chansons qui ont créé ce climat parfois suffocant. Le sida, hélas, pourrait bien y introduire un sévère correctif. Quand on joue avec la mort, on joue autrement.

B.-H. L. : On reviendra sur le sida. Ce qui ne va pas, pour le moment, c'est votre «sensualité heureuse». La sensualité n'est jamais «heureuse». Elle n'est jamais «innocente». Elle n'échappe pas — enfin, c'est mon avis — à un univers très ancien, très enraciné au fond de nous et qui est celui de l'interdit, de la faute et donc, forcément, d'un certain rapport à l'animalité. Je ne vois pas en quoi cela concerne la publicité et les marchands.

F. G. : Je voulais dire que ce sont les marchands qui font du sexe un produit de consommation, d'excitation à la consommation. On ne peut pas vous vendre une marque de café sans l'assortir de l'image d'une femme nue en extase.

B.-H. L. : Vive les femmes nues, en extase !

Y compris lorsqu'elles ont le visage de vos «affranchies»...

F. G. : Ce n'est pas seulement le sexe qui est exalté, c'est, qu'on le veuille ou non, la drogue, ce pur objet de jouissance. Le «jouir sans entrave» de 68 est devenu une sorte de programme commun...

B.-H. L. : Auquel, soit dit en passant, vous vous ralliez... C'est le fond de ce que vous dites sur les femmes «libérées».

F. G. : Pas du tout! L'entrave, nous la portons en nous et elle est indissociable du plaisir. Mais de là à dire que la chair n'est jamais heureuse... Je ne vous suis pas, quelle que soit la mélancolie qui la teinte. Et je sais des femmes, nombreuses, qui n'ont jamais connu de la sensualité qu'un trouble amer, jamais accompli, provoqué par un homme indifférent ou maladroit qui les laisse malades d'un désir non abouti.

B.-H. L. : A mon tour de vous dire — de *leur* dire : je vous présenterai des hommes plus adroits, ou moins indifférents.

F. G. : Relisez Stendhal, le premier écrivain qui ait jeté sur les femmes un regard tendre et dénué de misogynie : «quelques femmes vertueuses n'ont presque pas l'idée des plaisirs physiques; elles s'y sont rarement exposées si l'on peut parler ainsi... » Je dis, et je maintiens, que la sensualité est une dimension de l'amour que l'on ne peut, pas plus que la mort, circonscrire avec des mots mais qui est une composante essentielle du bonheur d'être...

B.-H. L. : Qui prétend le contraire ?

F. G. : Libre à chacun de chercher son bonheur dans l'abstinence, je conçois qu'on puisse l'y trouver. Mais le bonheur dans la sensualité ratée, châtrée, non !

B.-H. L. : C'est un dialogue de sourds, décidément ! Je ne prône, vous l'imaginez bien, ni la sensualité châtrée ni l'abstinence. Je dis — et cela n'a, vraiment, rien à voir — que toutes ces histoires de désir sont bien plus immuables qu'on ne le croit et que nous ne sommes pas très loin de ce que décrivait Stendhal.

F. G. : Heureusement non.

B.-H. L. : Malheureusement oui. Si vous saviez le nombre de femmes qui, aujourd'hui, n'ont « presque pas l'idée des plaisirs physiques ». C'est la chance des séducteurs, d'ailleurs... Leur filon... On en reparlera; mais s'ils ont un pouvoir, les séducteurs, c'est celui-là : détecter, sous le masque de la femme prétendument «libérée», ou «épanouie», le visage de la mal-aimée qui n'attend, en général, que d'être reconnue comme telle...

F. G. : Vous connaissez le discours de Baudrillard au sujet de la sensualité féminine? L'histoire du féminin ne serait nullement celle d'une servitude.

B.-H. L. : C'est plaidable.

F. G. : Loin d'être spoliées, les femmes auraient de tout temps lancé un défi du fond de leur non-jouissance, défié la jouissance des hommes de n'être que ce qu'elle est. C'était une part de leur stratégie de séduction et elles seraient aujourd'hui en train de perdre sur tous les tableaux en réclamant le droit à la jouissance, etc.

B.-H. L. : Ce n'est pas forcément faux. Il y a une part de défi, je le pense aussi, dans l'apparente soumission des femmes; et, dans l'exercice de la séduction, un pouvoir symbolique au moins égal à celui qui est prêté aux hommes. C'est ce que je vous disais à propos de la Mortsauf.

F. G. : Inutile de vous préciser que je n'entre pas, moi, dans cette dialectique et que, en règle générale, rien ne me paraît plus suspect que la parole masculine quand elle prétend gloser sur la sensualité féminine. Y compris celle de Freud avec son fameux « l'anatomie, c'est le destin ».

B.-H. L. : L'avantage de Freud c'est qu'il nous a permis, une fois pour toutes, de tordre le cou à ces histoires de libération — sexuelle ou autre. Pardonnez-moi, Françoise : mais je ne sors pas de là ; et rien de ce que je vois, et entends, y compris aujourd'hui, ne me dissuade de rester freudien.

F. G. : Drôle d'interprétation de Freud !

B.-H. L. : On en a fait grand cas dans les années soixante et soixante-dix, de cette « libération ». On nous a dit que tout allait changer, basculer. On nous a promis des jours nouveaux, des matins radieux, des corps enfin glorieux, la levée des tabous, des interdits. On nous a dit que ce serait une révolution, la plus grande de tous les temps. On nous a raconté, quand on a vu que cela ne marchait pas et que le monde ne tremblait pas sur ses bases, que cela modifierait au moins, en profondeur, les imaginaires et les discours des femmes elles-mêmes. Eh bien, je n'y crois pas. Je n'y ai jamais cru. Et j'y crois moins que jamais. Si j'avais à faire la part, dans cette affaire, de ce qui dure et de ce qui change, de l'élément fatal, obscur, éternel — et de ce que l'histoire des mentalités a transformé, c'est, sans la moindre hésitation, sur le premier aspect que j'insisterais.

F. G. : «On» a dit beaucoup de bêtises mais il ne faut jamais croire ce que dit «on».

B.-H. L. : Evidemment. Mais «on» c'est un mouvement historique qui a mobilisé des gens, fait naître des espoirs et dont je constate qu'il a, pour l'essentiel, échoué. Est-ce qu'on peut faire ce livre, est-ce que *vous* pouvez le faire, sans se poser la question de ce qu'a été le féminisme, des rêves qu'il a suscités — et puis de ses échecs, de son impasse?

F. G. : Un traité sur le féminisme, ses joies, ses peines, quel ennui!

B.-H. L. : A qui le dites-vous!

F. G. : En bref, je ne trouve nullement que le féminisme a «échoué». Par rapport à des rêves, peut-être. Mais outre que je n'ai jamais rêvé, quels sont les rêves qui n'échouent pas? Que diriez-vous du rêve démocratique par exemple? Je constate que les femmes sont sorties de leur torpeur, qu'une part d'elles-mêmes est devenue conquérante, dynamique, joyeuse, humoristique alors que les femmes étaient tristes. Elles en veulent — comme on dit — et elles auront! Même s'il s'agit maintenant d'un mouvement dont les objectifs apparaissent parfois brouillés, même si le féminisme américain a dérapé dans une sorte de délire haineux.

B.-H. L. : Vous en parlez au passé. Or il revient, ce « féminisme haineux ». Et c'est même lui qui est à la base du *politically correct* d'aujourd'hui.

F. G. : Ce qui m'intéresse, moi, ce n'est pas l'avenir du féminisme, c'est celui du couple dans la société et dans sa vie intime.

B.-H. L. : Moi aussi. Et c'est pourquoi je suis si pressé — dans l'intérêt, non seulement du couple, mais des femmes — qu'on se débarrasse de l'idéologie dite « féministe ».

F. G. : Ce sont les relations des hommes et des femmes, et comment elles sont affectées, pour le meilleur ou pour le pire, par la naissance de femmes habitées par une nouvelle conscience d'elles-mêmes que plus rien ne fera rentrer dans leur niche. Ce sont, si vous voulez, les rapports de pouvoir qui sont en cause, au sens le plus large du terme. Je vous accorde volontiers qu'un certain déchaînement et son exhibitionnisme sont simplement obscènes, et que c'est faire injure au mot liberté que de l'employer à son égard.

B.-H. L. : Ne m'accordez pas cela. Ce n'est pas, du tout, ce que j'ai dit.

F. G. : Si.

B.-H. L. : Non. Je ne déteste pas, forcément, l'exhibitionnisme. Ni ce que vous appelez le « déchaînement ».

F. G. : Etre libre vis-à-vis de sa sexualité ne signifie ni qu'on perd le respect de soi ni qu'on la porte en bandoulière. Mais ça signifie, pour ne prendre qu'un exemple et non le moindre, qu'on la dissocie de la procréation. Savez-vous combien de femmes ont été mutilées par la peur de « tomber enceinte », comme on disait ? Et croyez-vous vraiment qu'il n'y a rien de changé dans l'histoire des hommes et des femmes depuis que cette décision majeure entre toutes, avoir ou ne pas avoir un enfant, est passée entre les mains des femmes ? Depuis que les hommes en ont été en quelque sorte dépossédés ?

B.-H. L. : Là, on parle d'autre chose.

F. G. : Non. Car c'est justement ce que vous appelez le fatal, l'obscur, l'éternel, qui a été touché là. C'est, au sens propre du terme, une révolution. Et nous n'avons pas fini d'en voir les effets.

B.-H. L. : Ecoutez. Je suis bien entendu d'accord sur ce qu'a pu représenter, pour les femmes, la dissociation du plaisir et du devoir de procréer. Mais, outre que je serais encore plus d'accord si les hommes n'avaient pas été, comme vous dites, complètement « dépossédés », il reste l'autre question à laquelle le combat dit « féministe » n'a, vous le savez bien, pas répondu : quid de ce qui se passe dans la tête des femmes ? de la façon dont elles se représentent leur propre corps et celui des autres ? de leur rapport à leur propre plaisir ? à leur propre désir ?

F. G. : Vaste question !

B.-H. L. : Tout cela a-t-il réellement changé ? la révolution dont vous me parlez a-t-elle entamé, en profondeur, ces régions de la sensibilité ?

F. G. : Bien entendu.

B.-H. L. : Eh bien, c'est notre premier vrai désaccord. Vous dites que les « mœurs amoureuses » ont très peu évolué — mais que ce qui a changé c'est le langage des femmes, l'approche de leur propre sensualité. Je pense, moi, l'inverse : évolution des mœurs ; modification dans les conduites ; postures, stratégies d'amour ou de séduction qui ne sont, à l'évidence, plus les mêmes ; mais formidable permanence, en revanche, de la représentation que les femmes ont de cela. Les femmes, si vous préférez, agissent autrement. Elles jouent autrement. Mais leur soliloque intérieur et, je vous le répète, leur représentation d'elles-mêmes et d'autrui sont restés pour l'essentiel inchangés.

F. G. : Là, il devient très difficile de parler des femmes au pluriel. Comment saurais-je ce qu'est le soliloque intérieur des femmes ? Qui le sait ? Elles n'ont jamais parlé d'elles. Ou si rarement, ou si peu. Tout ce que l'on sait de leurs sentiments, de leurs pensées, de leur mécanique pour employer un mot que je n'aime pas, c'est ce que les hommes leur ont prêté. Parfois avec génie d'ailleurs, mais enfin. Anna Karénine, c'est un homme qui la raconte, et Mathilde de la Mole, et Emma Bovary. Plus tard, il y aura Colette, c'est vrai, avec « ces plaisirs qu'on nomme à la légère physiques », mais elle est bien seule...

B.-H. L. : Oui et non. Car il y a des choses, quand même. Des petites choses. Et qui n'ont, c'est tout le problème, ni le talent ni l'intelligence de ces livres dont vous parlez. Il faudra, du reste, finir un jour par se poser la question : d'où vient que ce soit à des hommes qu'échurent, en effet, le soin, ou le privilège, de raconter la sexualité féminine ? Pourquoi ce silence des femmes ? Cette pudeur ? Cette démission ? en vertu de quelle prudence ou, allez savoir ! de quel calcul s'en être remises à d'autres de cette tâche évidemment stratégique ?

F. G. : Perversité, démission... Je ne vois rien de tel. Où auraient-elles parlé? A qui? Vous imaginez une femme osant, avant notre siècle, se livrer sur un tel sujet? L'osant même vis-à-vis d'elle-même? Se hasardant à en écrire? C'eût été proprement inconcevable. S'agissant d'elles-mêmes, elles n'ont parlé de rien, jamais. A travers toute l'histoire, les femmes sont muettes. Alors sur la sexualité!

B.-H. L. : Prenez quelqu'un comme Anaïs Nin. Son *Journal*, bien sûr. Mais aussi ce drôle de roman érotique que j'ai lu il y a longtemps et qui s'appelait quelque chose comme *La Maison de l'inceste*.

F. G. : Là nous sommes en plein xxe siècle.

B.-H. L. : Justement! Et on se croirait en plein xixe. Prenez encore Colette Peignot qui fut la maîtresse de Souvarine, celle de Jean Bernier, puis celle de Bataille. Prenez cette femme étonnante qui sert de muse à Georges Bataille pour *Madame Edwarda* avant de mourir, jeune d'ailleurs, et exsangue, entre ses bras. Voilà le prototype de la femme libérée. La révolutionnaire par excellence. Voilà une femme moderne qui se mêle à tous les combats, tous vraiment, de son époque. Eh bien, elle fait un livre. Ou plutôt on publie, après sa mort, ses fameux *Ecrits de Laure*. Et on a là un texte, au demeurant très beau, mais qui raconte les émois de la chair féminine dans des termes qui ne sortent guère du répertoire traditionnel. Dolorisme. Masochisme. Jouissance du sacrifice. Proximité, vécue, de la jouissance et de la mort. Tout y est. Tous les stéréotypes de ce que vous appelez l'héritage chrétien. Alors, encore la même question : retard de la littérature ? impuissance des mots à saisir une réalité en train de changer ? emprise de l'imaginaire masculin (en l'occurrence celui de Bataille) jusque dans la mise en scène, par une femme libre, de sa propre sensualité ? ou bien permanence au contraire (ce serait plutôt mon avis) des grands motifs symboliques qui structurent le discours féminin ?

F. G. : Colette Peignot est un personnage intéressant. Débauchée, souillée, battue par l'un de ses amants qui lui faisait porter un collier de chien, fascinée par la mort, descendant au fond de l'enfer où elle cherchait le ciel... On est bien au-delà, avec elle, de l'érotisme doloriste. On pourrait à ce jeu lui opposer Colette, si loin du dolorisme. Quant au dolorisme d'Anaïs Nin, il ne m'apparaît pas. Mais laissons la littérature.

B.-H. L. : Il ne faut jamais laisser la littérature.

F. G. : Cela ne durera pas. J'essaie de vous dire

31

pour le moment ceci : ce qui a changé, précisément, c'est la représentation que les femmes se font d'elles-mêmes. Cette confiance tremblante qu'elles ont prise en elles...

B.-H. L. : C'est pour cela que je vous parlais d'Anaïs Nin : ses textes sont d'un conformisme confondant.

F. G. : Et alors ? C'est si mal assuré, les femmes, si prompt à se réfugier derrière les artifices de la séduction parce que là, elles connaissent, c'est leur terrain de toute éternité. Je ne les crois pas du tout disposées à y renoncer, mais de plus en plus souvent déterminées à s'affirmer autrement que par l'arc de leurs lèvres ou l'insolence de leurs seins. En fait, elles veulent tout, ce qui les rend parfaitement ambiguës.

B.-H. L. : Et attirantes.

F. G. : Sûrement. Il reste un pourcentage non définissable de jeunes femmes qui fonctionnent selon l'antique schéma : *to catch a man*, attraper un homme, le plus fortuné possible, même s'il faut supporter en échange quelques humiliations qui ne leur sont pas épargnées. Mais ce n'est plus, me semble-t-il, l'objectif de la majorité comme ce fut le cas si lontemps sous des déguisements divers. Même les plus « putains » d'entre elles font des rêves... Avoir une affaire à elles, jouer la comédie, écrire un livre, que sais-je... Exister. S'exprimer, comme on dit maintenant. S'affirmer autrement qu'à travers un homme.

B.-H. L. : Rien de nouveau, là non plus. Vous parliez tout à l'heure de *Madame Bovary*. Il y a une lettre assez rigolote de Flaubert sur ce qu'il appelle lui aussi la double postulation des femmes : leur côté rêveuses et calculatrices, passionnées et ne perdant pas le nord. Il dit, précisément : d'un côté la « bonne caissière » ; de l'autre le « cagibi pour le rêve »...

F. G. : Sans doute. Mais c'est la nature des rêves qui a changé. Madame Bovary ne rêve pas de créer sa petite entreprise... D'ailleurs, le type de femmes dont je parle ici est certainement celui qui a le moins changé. Il y a encore de l'avenir pour les amateurs. Quant à l'approche que les femmes ont de leur sensualité, ce qui disparaît c'est la résignation, la patience dans la résignation, la tolérance à la vie commune lorsqu'elle les laisse frustrées. Savez-vous que ce sont les femmes qui, en grande majorité, demandent le divorce ?

B.-H. L. : Je sais une chose : c'est à leur demande, et bénéfice, que, à la fin du siècle dernier, la loi Naquet rétablit le divorce. Le divorce, à ce moment-là, est incontestablement une affaire de femmes. Il y a toute une littérature là-dessus, d'ailleurs. Toute une littérature « Belle Époque » qui brode invariablement sur le même thème : l'épouse qui part en claquant la porte.

F. G. : Et qui se retrouve à la rue parce qu'elle est sans ressources.

B.-H. L. : Bien sûr.

F. G. : Aujourd'hui, les statistiques sont implacables. Et éloquentes. Oh ! ça ne se passe jamais tout de suite... Le temps coule. Mais ma conviction est qu'une femme dont la chair est heureuse ne se sépare pas délibérément de son compagnon. Quelquefois, elles se retrouvent seules... Mais elles sont beaucoup plus difficiles que les hommes. Un homme seul, veuf ou abandonné, n'a de cesse qu'il ne trouve femme et, souvent, c'est n'importe qui. Les femmes préfèrent encore la solitude à « n'importe qui... ». Pour supporter un homme, elles ont besoin d'avoir pour lui un minimum de considération. J'observe que ce n'est pas le cas des hommes.

B.-H. L. : Cela vous est arrivé, vous, de préférer la solitude ?

F. G. : A vrai dire, cette triste alternative ne s'est jamais présentée. Disons que j'ai eu de la chance. Mais, enfin, il m'est arrivé d'être seule... Dans mes jeunes années, j'ai été très solitaire, sauvage comme un ours. La solitude, c'est quelquefois lourd à vivre. Ça ne conduit pas forcément à abdiquer un minimum d'exigences, et même un maximum.

B.-H. L. : C'est bien. Mais je ne suis pas sûr que ce soit la règle.

F. G. : Oh! si.

B.-H. L. : Vous allez encore me dire que j'ai les mauvais contacts et qu'il faut que vous me présentiez des femmes vraiment libérées. Mais je suis frappé, moi, par la terrible capacité des femmes à accepter ce qu'il faut bien appeler une forme de détresse sexuelle. Elles ne le disent pas, bien entendu. C'est un secret. C'est leur secret. Elles essaient de faire bonne figure et n'avoueraient pour rien au monde qu'elles restent, au fond, des Bovary.

F. G. : C'est autre chose.

B.-H. L. : Non. C'est la *même* chose. Car ce sont des femmes modernes. Dynamiques. Libérées. Ce sont ces femmes épanouies, auxquelles on donnerait le Dieu bonheur sans confession, dont on parlait tout à l'heure. Mais dès qu'on creuse un peu, dès qu'on entre sur le terrain, mettons, de la confidence, on entend des choses si bizarres et si loin du tableau heureux, flatteur, que vous brossez! Femmes humiliées. Femmes mal aimées. Femmes — jeunes, jolies femmes — qui vous avouent, froidement, qu'elles passent des semaines, parfois des mois, sans l'ombre d'une étreinte. Alors, elles font bonne figure. Ou elles prennent un amant. Ou, comme on disait autrefois, elles subliment et rêvent en secret. Mais ce que je veux dire c'est qu'elles consentent et que la révolution féministe n'a, là non plus, pas changé grand-chose. Au contraire!

F. G. : Pourquoi «au contraire»?

B.-H. L. : Parce qu'elles carburent à autre chose. C'est bien ce que vous dites, n'est-ce pas? qu'elles ont, désormais, d'autres moteurs? d'autres mobiles? Eh bien c'est cela qui, paradoxalement, les aide à s'aveugler. Et, par conséquent, à se résigner.

F. G. : Nous voilà au cœur de notre débat. Je vous répète que la résignation féminine est, selon moi, en voie de régression galopante. Ce qui ne signifie pas, naturellement, que toutes les femmes humiliées ou mal aimées se séparent de leur compagnon. Pas toutes. Mais assez pour que se dessine un nouveau visage des femmes, intolérantes à la vie commune lorsque celle-ci est faite de blessures.

B.-H. L. : Tant mieux. Oui, si vous avez raison, tant mieux. Mais, franchement, vous ne me convainquez pas.

F. G. : Et il n'y a pas seulement les femmes mariées. Il y a toutes celles qui rompent leur liaison, à la stupéfaction de leur compagnon, et qui partent en emportant leurs enfants sous le bras. Mais c'est encore un autre problème. Savez-vous ce que m'inspire notre conversation ? Ce que dit mon bien-aimé Stendhal : « Un homme ne peut presque rien dire de sensé sur ce qui se passe au fond du cœur d'une femme tendre. » Mais sans doute me rendrez-vous aisément la pareille à propos de ce qui se passe au fond du cœur d'un homme tendre.

B.-H. L. : Je ne sais pas...

F. G. : Je vous dirai tout de même, timidement, ce qui se passe dans la tête des jeunes hommes tendres et qui est un fameux changement.

B.-H. L. : Oui ?

F. G. : Autrefois, pour avoir tous les soirs une femme dans leur lit comme ils en ont à cet âge le désir, il fallait qu'ils aient une situation. « Jeune homme, vous épouserez ma fille quand vous aurez une situation. » Ce n'était pas vrai seulement dans la bourgeoisie. Formidable stimulant au travail ! Aujourd'hui, les garçons ont ou n'ont pas de fille dans leur lit tous les soirs, mais c'est sans rapport avec leur « situation ». Je dis que la plus forte des motivations au travail chez les jeunes gens a disparu.

B.-H. L. : Ce qui est sûr c'est que nous avons, sur ces affaires, des opinions que je n'imaginais pas si opposées. Votre optimisme me sidère. Mon pessimisme vous agace. Cela ne devrait pas être mauvais, en principe, pour la suite de la conversation.

F. G. : Mon optimisme ? Qui vous a dit que j'étais optimiste ? Changement n'est pas toujours synonyme de progrès, et tout progrès a sa face noire. Mais quelque chose est en mouvement. C'est cela qui me captive et d'une certaine façon m'émeut. A demain.

2

DE LA LAIDEUR
COMME INJUSTICE FONDAMENTALE

B.-H. L. : Je relisais hier, en vous quittant, le Journal de Pavese. Il dit (je cite de mémoire) : « les femmes épousent parfois un homme pour son argent; mais elles prennent généralement la précaution d'en tomber amoureuses avant. » C'est dur, mais assez juste. Et ça illustre surtout très bien ce que vous disiez de ces filles qui continuent de jouer au petit jeu de *to catch a man*...

F. G. : On aime toujours un homme pour quelque chose... Pourquoi pas pour son argent? Après tout, c'est un signe de puissance. Les femmes ne détestent pas la puissance.

B.-H. L. : C'est votre cas? Vous aimez, vous, la puissance?

F. G. : Pas celle que donne l'argent, en tout cas ! Mais je suis sensible à la puissance intellectuelle, certainement, surtout quand elle n'est pas le fait d'un avorton. J'ai la faiblesse de n'avoir jamais aimé que des hommes beaux.

B.-H. L. : La vérité c'est que les choses sont indissociables. Aime-t-on quelqu'un pour ceci? cela? le sait-on d'ailleurs soi-même?

F. G. : Sans doute pas.

B.-H. L. : C'est l'histoire de ce personnage de Butor, dans *La Modification*. Il lui faut tout le voyage Paris-Rome (et tout le livre!) pour s'apercevoir que ce qu'il aime en Cécile c'est «le visage de Rome» et qu'il ne la désirait pas «sans Rome et en dehors de Rome».

F. G. : Résultat: son amour se dissout. Et, parvenu au bout du voyage, il a renoncé à son idée d'amener Cécile à Paris et de l'y installer.

B.-H. L. : Preuve qu'on n'a jamais intérêt à trop se poser ce genre de questions...

F. G. : Vérité... Péché de vérité...

B.-H. L. : C'est tout le pathétique (et le charme) des situations amoureuses. Pourquoi est-ce que je l'aime? Et elle, que me trouve-t-elle? Pourquoi cet attachement étrange? En vertu de quel malentendu? Chaque fois les amants s'interrogent.

Déduisent. Dissimulent. Interprètent. Et, bien entendu, se trompent...

F. G. : Il est vrai que l'exercice est sans fin. Néanmoins, ils s'y livrent tous.

B.-H. L. : Ce sont aussi ces jeunes filles qui ont mille raisons d'être désirées, mais qui passent leur temps à se demander si on les aime pour leur argent. J'en ai connu autrefois. Je les ai vues perdre littéralement leur vie à se poser la question. Femmes mort-nées — empoisonnées par ce soupçon...

F. G. : J'ai connu aussi de ces jeunes filles empoisonnées par le soupçon... Pauvres petites filles riches ! Mais la différence, c'est qu'un homme peut être fier de son argent comme d'une manifestation de son talent. Tandis que les jeunes filles riches dont vous parlez sont le plus souvent des héritières qui n'ont rien fait et qui ne se pensent pas capables d'être aimées... Souvent, d'ailleurs, elle ne l'ont pas été ou mal dans leur enfance dorée...

B.-H. L. : Vous dites : « J'ai la faiblesse de n'avoir jamais aimé que des hommes beaux. » Est-ce que cela signifie que la séduction, pour vous, passe toujours par la beauté ? qu'un type laid — enfin : objectivement laid, disgracieux, « non conforme » à ce qu'on entend tous, en gros, quand on parle de beauté — n'a, et n'aurait eu, aucune espèce de chance de vous séduire?

F. G. : Aucune.

B.-H. L. : Vous n'auriez pas pu aimer un Raymond Aron?

F. G. : Non, je ne crois pas.

B.-H. L. : Sartre? Vous n'avez jamais été séduite, charmée par Sartre?

F. G. : Séduite, charmée, oui. Mais je n'aurais jamais voulu qu'il me touche. En revanche...

B.-H. L. : Je vous en prie! Pas le couplet sur l'intelligence qui embellit, illumine une laideur, etc. Trop facile. Essayons d'être sincères et dites si, réellement, la laideur de Sartre était pour vous un obstacle — lequel? de quelle nature? — à la séduction que sa conversation, ses livres, sa gloire, que sais-je, étaient susceptibles de dégager...

F. G. : Oui. C'eût été un obstacle infranchissable à une relation plus étroite. J'ai connu un autre homme affreusement laid et qui dégageait cependant une grande séduction, c'est Pierre Lazareff. Les cruelles ne lui ont pas été nombreuses. Les femmes tombaient dans ses bras comme des mouches. Je l'adorais. Mais le toucher... Non, je peux faire l'amitié avec un homme disgracié. Pas l'amour.

B.-H. L. : Ce que vous dites de Lazareff ne m'étonne pas. C'était également vrai de Sartre. Beaucoup de femmes autour de lui. Souvent des jolies femmes... Mais enfin c'était Sartre, n'est-ce pas? Avec ce rayonnement formidable... Cette force... Vous vous souvenez de ce qu'il disait? Si je suis devenu philosophe, si je désire tant cette célébrité qui tarde encore à venir, c'est, au fond, pour cette raison — séduire les femmes. Eh bien, il n'a pas trop mal réussi, au bout du compte. Mais s'il n'avait pas été philosophe, justement? Et célèbre? La laideur n'est-elle pas le handicap insurmontable? L'injustice définitive?

F. G. : Non, je ne dirai pas cela. Beau et bête, ce n'est pas un cadeau non plus, ni pour un homme ni pour une femme! Et puis, pour des foules de gens, la laideur n'est pas un obstacle au désir, ni chez un homme ni chez une femme...

B.-H. L. : C'est vrai.

F. G. : Il vous est arrivé, vous, d'aimer une femme laide?

B.-H. L. : Aimer, n'exagérons pas...

F. G. : Désirer ?

B.-H. L. : Bien sûr.

F. G. : Comment cela ?

B.-H. L. : Tous les vrais amateurs le savent : le désir est un truc bizarre. Vous pouvez être ému par une voix, une silhouette, une façon de sourire, un nom parfois, un prénom, une chute de rein, une image, une phrase qu'elle vous a dite, une vulgarité soudaine ou, parfois, pas soudaine du tout. Et le résultat, la somme (ou la soustraction) de ça, peut fort bien être, en effet, une femme qui, selon les canons en vigueur, serait cataloguée comme un monstre.

F. G. : Un monstre ? Diable ! Je ne voyais pas si grand. Vous avez déjà aimé un monstre ?

B.-H. L. : Mon cas n'a pas d'intérêt. Ce que j'essaie de vous dire c'est que, si le désir (ou l'inconscient) calcule, ce n'est pas selon la logique que croient les imbéciles. Femmes belles ? Femmes laides ? C'est toute l'énigme du désir. Tout son fétichisme... On croit qu'on aime une femme. Alors qu'on aime un morceau de femme, un accident de cette femme, un détail, une inflexion. La règle valant, d'ailleurs, dans le sens inverse : une femme réellement désirée, désirable, aimable même — et qui cesse tout à coup de l'être à cause d'un mot, d'un geste, d'un nouveau détail, etc.

F. G. : Bien sûr. Le désir est aussi fragile qu'il peut être fulgurant.

B.-H. L. : Je me souviens d'une histoire. Nous appellerons «X» l'ami auquel elle est arrivée. C'est il y a quinze ou seize ans. Il est chez sa maîtresse, dans l'île anglo-normande de Chausey. Un ami vient le rejoindre qui est aussi un «compagnon de débauche» et qui est accompagné d'une autre femme, plus âgée, mais très belle. Elle fait beaucoup d'effet à X. Il se dit qu'il la préfère, hélas, à sa propre compagne et propriétaire des lieux. Dîner. Echanges de regards. Signes divers. Connivences. Promesses feutrées. Ambiguïtés. Un désir qui, avec les heures, ne fait évidemment que croître. La nuit, au désespoir de X, finit par arriver. N'est-ce pas, pour chaque couple, le moment de rentrer dans sa chambre? Et puis, au bout d'un moment, après que sa compagne s'est endormie, l'irrésistible désir d'aller là-bas, dans la seconde chambre, voir s'il a rêvé ou si l'«autre» est disposée à donner suite à ses promesses. Le détail de l'histoire n'a pas d'importance. Sinon qu'il y va en effet; qu'il la trouve, debout, entièrement nue, cambrée contre une grande cheminée en train de se laisser caresser par le second homme; et que, le voyant hésiter (incongruité de la situation, ultime et tardif scrupule à l'endroit de sa propre compagne qui est, aussi, leur hôtesse à tous), elle lui fait le geste de s'approcher — et tandis que l'autre garçon, feignant de ne s'être aperçu de rien, continue de la besogner, prononce une phrase, une seule phrase, qui suffit, non seulement à éteindre son désir, mais à faire que jamais plus, dans aucune des circonstances où il lui sera donné de la revoir, il n'en éprouve ni souvenir ni nostalgie. Cette phrase, murmurée sur un ton qui se veut sans doute aguicheur, est : «viens! mais viens donc! c'est une occasion à saisir.» Elle n'a rien de terrible, vous me direz, cette phrase. Mais pour X, elle est terrible. Car dans sa vulgarité même, dans ce côté «marchand de tapis» qui cadre si mal, et avec l'intensité de son attente, et avec la qualité de ce corps admirable, s'ouvre soudain tout un monde qu'il n'avait pas soupçonné et qui est pourtant bien celui de cette femme. Un mot donc. Quelques mots. Et tout était joué. Le désir était tombé. C'est ce que j'appelle le fétichisme à l'envers.

F. G. : Heureusement qu'elle a prononcé cette phrase «avant» et pas «après». Elle a épargné à X d'avoir à rougir de lui.

46

B.-H. L. : Pourquoi rougir?

F. G. : Rougir d'avoir désiré une «occasion à saisir...».

B.-H. L. : X ne rougissait jamais. Il pouvait pâlir à l'occasion...

F. G. : D'ailleurs, ce n'est jamais honteux, le désir... Personne n'en est maître. Cela ne se calcule pas en termes de bien et de mal...

B.-H. L. : Je ne sais plus pourquoi je racontais cette histoire.

F. G. : On épiloguait sur la laideur.

B.-H. L. : Oui. C'est cela. La séduction de la laideur. Les surprises, les paradoxes, les intermittences du désir — et donc, entre autres paradoxes, le charme parfois foudroyant des laides...

F. G. : Est-ce qu'on peut essayer de voir comment cela marche? comment cela fonctionne?

B.-H. L. : Oh! c'est compliqué.

F. G. : Essayons!

B.-H. L. : Il y a une part de masochisme d'abord : dégoût de soi, autocontemplation morbide, narcissisme inversé, etc. Une part de sadisme : dire à un être disgracieux « tu as, toi aussi, ta grâce ! je suis là pour te la révéler ! ». Et puis encore, un goût de la performance : car contrairement à ce qu'on croit toujours, il est beaucoup plus difficile de séduire une vilaine qu'une belle.

F. G. : Vraiment ?

B.-H. L. : La belle a l'habitude. Elle est rouée. Rodée au jeu. Elle connaît, et les ficelles, et les rituels de séduction. Et on sait très vite, finalement, si la chose se fera ou non. Alors que la vilaine... Elle est si troublée la vilaine... Si éberluée de ce qui lui arrive... Elle est méfiante d'abord... Incrédule... Elle se dit qu'il y a quelque chose là-dessous, qu'on se paie sa tête... Et puis après, quand elle a compris, quand elle sait que vous êtes sérieux et que le jeu l'est tout autant, elle découvre qu'elle n'en connaît ni les règles ni les mots de passe...

F. G. : La laideur considérée comme un excitant parce qu'elle accroît la difficulté de séduire... Je n'avais jamais pensé à cela.

B.-H. L. : Elémentaire, pourtant, chère Françoise !

F. G. : Plausible en tout cas. Tout à fait plausible...

B.-H. L. : Sans parler des « complexes » comme on dit... Ce corps qu'elle ne connaît que trop... Ces hanches trop larges... Ces seins fanés... Toute cette misère qui est son secret et qu'il va falloir partager... Elle vous désire, elle aussi ? Elle crève d'envie d'y aller, de balayer tous ces scrupules ? Il n'est pas si fort, le désir, ni si irrépressible, qu'il lui permette de passer outre. Et c'est pourquoi je vous dis qu'il est souvent plus difficile de « convaincre » une femme hors circuit qu'une femme qui répond à tous les canons et normes.

F. G. : C'est une conduite d'homme. Le contraire n'est pas vrai. C'est plus difficile de séduire un homme beau ou, pour être plus exacte, habitué à être sollicité qu'un laideron dédaigné par les femmes. Ils fondent.

B.-H. L. : Une « conduite d'homme », je ne sais pas...

F. G. : Si, si, une conduite d'homme...

B.-H. L. : Si j'avais un rapprochement à faire,

ce serait avec ces libertins qui, au XVIIIᵉ siècle, cherchaient l'exercice le plus périlleux, le plus risqué — et décidaient que c'était de séduire une «coquette».

F. G. : On disait «fixer une coquette», oui. Il y avait les «prudes» d'un côté — c'est-à-dire les prudentes, les farouches. Les «coquettes» de l'autre — c'est-à-dire les femmes apparemment plus faciles. Or c'était le contraire, n'est-ce pas? Le plus difficile était de fixer la coquette.

B.-H. L. : Voilà. On pourrait soutenir, au fond, que le siècle a perdu ses coquettes. Et que le vrai geste libertin aujourd'hui, l'exercice libertin par excellence devient de séduire une disgracieuse.

F. G. : C'est cela.

B.-H. L. : A une condition, toutefois. C'était chez X, justement, un quasi-impératif moral. Ne jamais «cacher» ses laides. Les assumer, au contraire. Les traiter comme des reines. Il était amateur de très jolies femmes. Mais quand, d'aventure, il s'entichait d'une laide, il tenait pour élégant de jouer le jeu jusqu'au bout.

F. G. : L'histoire de l'«occasion à saisir» aurait pu arriver à une femme et la réfrigérer de la même manière. Mais il y a, me semble-t-il, quelque chose de différent dans le jeu de la séduction. Les femmes cherchent l'assurance que si elles voulaient, ce serait fait. Mais elles ne tiennent pas forcément à la « prise de guerre ». Enfin, pas toujours.

B.-H. L. : Les hommes non plus.

F. G. : Vous vous souvenez de Baudelaire : « O toi que j'eusse aimée, ô toi qui le savais... » Un homme peut passer comme un beau regret. Je n'imagine pas, en revanche, qu'un homme joue le jeu de la séduction sans vouloir expressément le conduire à son terme. De la même manière, la plupart des femmes adorent danser, c'est-à-dire exciter le désir. La plupart des hommes en ont horreur : un désir suscité et inassouvi les exaspère. Je me trompe ?

B.-H. L. : Cela dépend. Je conçois tout à fait qu'un homme fonctionne sur ce « régime ». Séduction pour rien. Gratuité. Jeux de la représentation et du désir. Miroirs infinis. Mais on reviendra sur tout cela. Car je ne voudrais pas, tant que nous y sommes, lâcher cette histoire de laideur.

F. G. : Nous n'allons pas découvrir que le monde est injuste, que Dieu a fait la panthère et le rat, la rose et l'ortie, le lilas et le pissenlit. Vous me direz que le pissenlit n'a pas conscience du dédain où on le tient. Les laids, les vrais laids souffrent et c'est scandale... en effet.

B.-H. L. : Pas seulement scandale... Ni souffrance... La question est de savoir plutôt si la laideur n'est pas en train de devenir l'interdit majeur de nos sociétés. Gary disait tout le temps cela. Il prétendait que nous vivions dans des sociétés non de consommation, mais de provocation. Et il ajoutait que, de toutes les provocations, c'est la laideur qui est la plus inacceptable.

F. G. : Ce n'est pas dans le champ du désir que cette inégalité me paraît la plus cruelle car beaucoup de laids et de laides sont aimés, heureusement. « N'est pas beau qui est beau, est beau qui plaît », dit le proverbe. C'est dans le champ social... C'est l'ostracisme quand on cherche du travail et que l'on « présente mal » par exemple, c'est la cruauté des enfants qui n'aiment pas les laids, c'est le supplice que s'infligent les femmes, et aujourd'hui beaucoup d'hommes, pour maigrir parce que la société est intolérante aux gros, tandis que d'autres peuvent se gaver de chocolats...

B.-H. L. : C'est *aussi* le champ du désir. Car vous savez comme moi, n'est-ce pas, que tout finit dans le champ du désir... Les hommes, les femmes ont beau dire : ils ne pensent en réalité qu'à cela !

F. G. : Certes. Mais que dit-on avec ses dents blanches quand elles sont irréprochables, avec son corps quand il est mince et agile, avec sa peau nette et ses cheveux brillants comme l'exigent les canons de la beauté? On dit que l'on est soigné, discipliné, que l'on sait tirer parti de soi, qu'on ne se laisse pas aller... Et c'est un discours qui n'est pas négligeable, qui va bien au-delà de la pure beauté, laquelle est d'ailleurs très rare.

B.-H. L. : Je dis l'*interdit* majeur. Et j'entends par là que nous vivons dans un temps qui fait de la laideur l'un de ses tabous fondamentaux. Il y avait le sexe : cela fait belle lurette que c'est fini. La mort : c'est en passe de l'être aussi (voir, l'an passé, le film d'Hervé Guibert enregistrant lui-même ses derniers instants). Eh bien, il reste la laideur. Le spectacle de la laideur. Il reste l'image d'un corps laid qui devient, je vous le répète, ce que la société du spectacle ne tolère plus de représenter.

F. G. : Vous oubliez qu'au Moyen Age les laids étaient tenus pour des enfants du diable. Nous n'avons rien inventé...

B.-H. L. : Ecoutons. Observons autour de nous. Regardons, pour le coup, le discours des publici-taires et des marchands. Je ne parle pas seulement

53

du côté dents blanches, corps bronzés, dictature de la beauté, de la santé, etc. (encore qu'il y aurait beaucoup à dire sur ce nouvel «hygiénisme»). Mais ce fait, bien plus troublant, que nous sommes dans des sociétés où on dit tout, montre tout, où on fait commerce et spectacle d'à peu près tout — mais qu'il y a une limite à cela et que cette limite c'est la laideur.

F. G. : Les choses sont un peu plus compliquées. Les laids sont légion à la télévision par exemple, notre vitrine. Je ne veux blesser personne en citant des noms, mais on ne peut pas dire que les journalistes, par exemple, soient tous des Adonis ! Quand il s'agit d'hommes, on leur passe tout. La graisse, les rides, les débuts de calvitie... Et dans la publicité, il y a des hommes en tout genre. Quand il s'agit des femmes, c'est une tout autre affaire. C'est là qu'il y a tabou. Une femme *doit être jolie* ou, au minimum, agréable à regarder. Il y a une excellente journaliste à la Une dont on entend souvent la voix et que l'on ne montre quasiment jamais parce qu'elle est grosse, trop grosse.

B.-H. L. : Nous sommes tous complices de cet ostracisme. Vous-même...

F. G. : Oui, j'avoue que, moi aussi, je préfère voir de jolies femmes sveltes aux cheveux souples.

Le tabou laideur reste féroce, et celui de l'âge...
Mais il me semble que la télévision, précisément,
tend plutôt à en atténuer la virulence. Si charmantes que soient les journalistes, de plus en plus
nombreuses, ce ne sont pas des pin-up, elles ne
sont pas coiffées, laquées, pomponnées quand
elles travaillent, parfois dans des conditions très
dures. La représentation qu'elles donnent se dissocie d'on ne sait quel modèle idéal auquel il
faudrait ressembler. Et c'est heureux. Et cela va
dans le bon sens.

B.-H. L. : Il y avait un journal en Mai 68 — ou
après, je ne sais plus — qui s'était donné pour mot
d'ordre de «libérer les laids». C'était débile, bien
sûr. Terroriste en diable. Ça revenait à dire, en
gros, que la laideur était une notion bourgeoise,
liée à l'idéologie capitaliste et dont il fallait donc,
impérativement, se déprendre. Comment? En
désirant des moches. Oui, oui, en s'exerçant
méthodiquement à désirer des femmes ou des
hommes moches. L'idée étant qu'il y avait là, pour
le vrai militant révolutionnaire, un impératif aussi
absolu que celui de lutter, par exemple, contre le
travail à la chaîne. Tout cela était idiot. Mais il y
avait dans cette idiotie une intuition qui n'était pas
sotte : à savoir que demeure là, du côté de cette
histoire de laideur, un partage hélas décisif — et
moins relatif qu'on ne le dit.

F. G. : Ce que vous exprimez, c'est la révolte devant l'inégalité fondamentale entre les êtres humains, une fois supprimées par hypothèse toutes les inégalités sociales... Mais je me répète, c'est à Dieu que ce discours s'adresse... Pour citer encore Stendhal, « la seule excuse de Dieu c'est qu'il n'existe pas ».

B.-H. L. : C'est l'histoire de Mirabeau, défiguré par la petite vérole, insultant le ciel — ou ce qui lui en tenait lieu — de l'avoir fait naître laid, disgracieux, monstrueux, et de lui avoir donné, en même temps, une âme, non seulement délicate, mais séductrice, amoureuse. Dieu soit maudit, hurle-t-il, d'avoir jeté l'âme d'Alcibiade dans le corps d'un Philoctète. C'est le malheur absolu. L'humiliation par excellence. J'ai les sentiments, les passions, les emportements, les vertus d'un homme joliment tourné — et, pour servir cela, ce corps immonde... Il doit y avoir des choses de ce genre chez Stendhal, non ?

F. G. : Quelquefois, oui, il dit qu'il ne s'aime pas, qu'il se trouve laid, mais pas avec la même violence. Mirabeau était, semble-t-il, repoussant, c'est un cas. Mais vous savez... Personne ou presque n'est satisfait de son apparence. Même les femmes les plus belles ont une conscience aiguë de leurs imperfections, se persuadent que tout le monde a les yeux braqués sur tel ou tel petit défaut qui leur paraît énorme... A l'exception de quelques narcissiques folles d'elles-mêmes. Les gens, en général, ne sont pas heureux dans leur peau, c'est pourquoi ils ont tellement besoin d'être rassurés, donc de séduire.

B.-H. L. : Vous, vous vous aimez ?

F. G. : Non. Je déteste, comme il est normal, me voir vieillir. C'est laid. Mais j'ai été bien analysée, il y a quelques années. Et j'en ai retiré l'art de vivre en bonne intelligence avec moi... Autant qu'il est possible.

B.-H. L. : Dans mon premier roman, j'avais inventé un apprenti séducteur dont la grande affaire était, bien entendu, la conquête. Son idée était : dans la guerre de mouvement qu'est cette entreprise de conquête, dans la stratégie d'enveloppement qu'il lui faut chaque fois déployer et où il s'agit, d'abord, de déstabiliser la proie, la première chose à faire est de trouver le vice, l'imperfection minuscule et charmante qui est aussi, n'est-ce pas, le défaut de la cuirasse. Une fois le défaut repéré, la bataille est à demi gagnée. Le défaut existe toujours, dit-il. Car le narcissisme féminin est sans limites.

F. G. : Il est répandu, en effet, mais à des degrés très divers. Certaines femmes peuvent passer des heures à se contempler, se soigner, se poncer, se parfumer, se coiffer, se dorer au soleil, essayer une robe, en essayer une autre, des heures vraiment... Pour ne parler que des manifestations les plus inoffensives du narcissisme. Mais les hommes n'en sont pas exempts, même s'il est moins spectaculaire chez eux, moins associé au corps... Encore que je sois frappée de voir combien les hommes d'aujourd'hui ont, autant que les femmes, la hantise de vieillir.

B.-H. L. : Vous croyez? J'ai tellement hâte, moi, de vieillir...

F. G. : Certainement. Même si cela se manifeste un peu plus tard. Disons : après cinquante ans... Ils se font un souci pour garder le ventre plat !

B.-H. L. : Je ne me rends pas compte. J'ai plutôt l'impression, au contraire, que cette affaire d'âge reste, entre les hommes et les femmes, l'inégalité fondamentale...

F. G. : Si vous voulez dire qu'une femme, à âge égal, est toujours plus vieille qu'un homme, certainement. Mais contrairement à l'idée reçue je suis convaincue que les femmes acceptent, plutôt mieux que les hommes, de vieillir.

B.-H. L. : Qu'elles l'acceptent est une chose.

Mais le regard porté sur elles en est une autre. Et il est, ce regard, terrible pour les femmes qui vieillissent.

F. G. : On a assez à faire avec son propre regard quand on vieillit. Coco Chanel a eu ce mot terrible, un jour où l'on s'étonnait de la voir, si célèbre, si riche, vieillir sans hommes : « un homme vieux, quelle horreur ! un homme jeune, quelle honte ! »

B.-H. L. : Pour en finir avec ces histoires de beauté, laideur, etc., il y a une limite à ce que nous disons : c'est la capacité qu'ont les gens à dompter, domestiquer, apprivoiser leur visage ou leur corps. C'est le sens du mot célèbre : « à partir de quarante ans, un homme (ou une femme) est responsable de son propre visage »...

F. G. : Je crois que le mot est de Degas et qu'il dit exactement : « A partir de quarante ans, on a la gueule qu'on mérite. »

B.-H. L. : Peu importe de qui il est. L'idée est qu'on se fait à son visage ; qu'en s'y faisant, on le fait ; même si on le contrefait ; et qu'il y a peu de laideurs qui résistent à cette contrefaçon. N'est-ce pas l'heureuse aventure qui arrive à tant de femmes dont on se dit : « tiens ! elle s'est arrangée avec le temps, elle a embelli en vieillissant... » ?

F. G. : On peut domestiquer son corps, on ne domestique pas son visage, même en le faisant lifter ou en rabotant son nez... Un visage porte le reflet de notre part divine... et aussi de l'autre bien sûr, voilées d'abord par la première jeunesse et ses grâces. Mais dès qu'elle reflue, tout s'y inscrit et bientôt s'y creuse, et je ne connais pas un seul paysage qui vaille un visage humain modelé par sa lumière intime. Non, on ne domestique pas son visage. On le porte. Et, le cas échéant, on le supporte.

B.-H. L. : Je ne parle pas des liftings évidemment, ni autres rabotages. Mais de la partie que nous jouons avec cette part de nous-même — divine ou pas — qu'est le visage. On le porte, c'est entendu. On le supporte. Mais il n'est pas une fatalité pour autant. Pas tout à fait. Il y a des visages qui ne se supportent pas, justement. Ou qui ne vont pas avec le corps. Ou qui s'éprouvent mal accordés avec, mettons, la voix.

F. G. : Des visages qui boitent?

B.-H. L. : Quelque chose comme ça. Il y a, dans un même visage, des éléments — l'arc d'un sourcil, le sourire, l'éclat d'un regard, que sais-je? — que l'on dirait en guerre les uns avec les autres. Alors guerre, donc. Résistance. On passe sa vie, d'une certaine façon, à tenter de réaccorder ces morceaux épars de l'être. Que l'on y échoue, je vous l'accorde. Que les plus acharnés à maîtriser leur «gueule» soient ceux à qui, bien souvent, elle joue les tours les plus pendables, c'est probablement vrai aussi (cf. les tics de Malraux, ce maniaque de la lucidité et de la maîtrise de soi). Mais sur le fond, c'est quand même cela : je dirais, citant Lévinas, que le propre de l'homme est *aussi* dans ce combat bizarre pour dominer, vaincre, apprivoiser son propre visage. Avec un peu de chance, il cesse d'être cette chose odieuse — ou bizarre. Il n'est plus cette excroissance ni cet objet rebelle. Dois-je ajouter que cela ne retire rien à l'évidente beauté d'un visage modelé par l'âge et la lumière intime?

F. G. : C'est drôle, je ne ressens pas cette lutte particulière, ce désaccordement de soi avec soi, même si j'ai eu parfois l'impression d'avoir «fait» mon visage. Mais sans doute avez-vous raison et cette lutte s'inscrit-elle dans la quête humaine jamais satisfaite d'harmonie. Avec soi-même et avec les autres.

B.-H. L. : A mon tour de vous dire que je ne voyais pas si grand! D'autant que, pour être franc, je ne déteste pas le désaccord. Ni, d'ailleurs, les grimaces. Les vraies grimaces. Celles qui, selon Baudelaire, sont un défi au monde. A demain?

3

DU SENTIMENT AMOUREUX,
EXTÉNUÉ DANS SON EXPRESSION

F. G. : J'aurais envie de vous parler d'amour aujourd'hui. Pas de désir, pas de sexualité. Non, d'amour. Du sentiment amoureux.

B.-H. L. : Oui? Vous croyez qu'on peut dire les choses ainsi? les distinguer à ce point?

F. G. : Distinguer la sexualité du sentiment, certainement. On peut passionnément aimer platoniquement. Que faites-vous de la Religieuse portugaise? de la Princesse de Clèves?

B.-H. L. : C'est vrai qu'il n'y a pas de « sexe » dans *La Princesse de Clèves*. En tout cas pas explicitement. Mais est-ce qu'il n'y est pas autrement, ce sexe? est-ce qu'il n'a pas d'autres façons de passer? est-ce que l'héroïne du roman, par exemple, ne crève pas de désir pour son Nemours — et d'un désir parfaitement physique? C'est comme si l'on soutenait que les grandes mystiques n'étaient que de pures âmes, détachées des tourments du corps. Ou que les extases du Bernin ne sont pas pétries d'érotisme. Chacun sa religion, n'est-ce pas? Je ne crois pas, moi, à l'amour platonique.

F. G. : Je ne vous chicanerai pas sur ce point. Bien sûr, tout est érotique, même le mysticisme. Mais il y a quand même quelque chose qui porte le nom de sentiment, non? où intervient autre chose qu'un sexe qui parle? quelque chose qui peut être absent entre des gens qui, par ailleurs, «baisent bien», pardonnez-moi le langage mais vous le forcez. C'est de ce sentiment que je veux parler.

B.-H. L. : C'est tout un vieux débat. C'est le débat, par exemple (et, d'une certaine manière, ils ont tout dit), entre les surréalistes et Georges Bataille. Les surréalistes y croient, à votre amour platonique. Ils y croient parce qu'ils sont «idéalistes». Et qu'être idéaliste, c'est postuler une sorte d'autonomie des sentiments qui auraient leur sphère propre, leur espace de gravitation et pourraient fort bien, par conséquent, survivre à une passion charnelle. Bataille, lui, leur répond : «pas du tout! il n'y a pas d'autonomie! il n'y a pas d'âme "élevée" qui planerait au-dessus de la chair! ou plus exactement l'âme s'élève, oui; elle ne cesse de dresser la tête, en direction du ciel et du soleil ; mais elle a les pieds (Bataille dit le « gros orteil » — et le texte s'appelle, d'ailleurs, « Le gros orteil ») dans la boue, la déjection, l'ordure la plus absolue ; et c'est pour cela, conclut-il, c'est parce que je crois en un homme qui serait un va-et-vient entre cet idéal et cette ordure, c'est parce que je me refuse à envisager des sentiments qui survivraient à la part ordurière, que je trouve si ridicule votre goût du merveilleux, du sentiment majuscule et, au fond, de l'amour platonique. » Je ne suis pas un fanatique de Bataille. Ni, d'ailleurs, de la part ordurière en amour. Mais je crois quand même que dans cette affaire c'est lui qui avait raison...

F. G. : Ne pourrait-on pas dire plus simplement que les humains sont capables de sublimer leurs pulsions ? Ce que font les mystiques, par exemple... Appeler cela « idéaliser » pourquoi pas, mais le terme est impropre et fausse le débat. C'est une sublimation de la pulsion sexuelle qui est présente dans l'amour platonique. Et je persiste à croire que celui-ci peut exister — de moins en moins de nos jours, sans doute, à cause de la présence obsédante du sexe.

B.-H. L. : Eh bien, je persiste à penser que cet amour platonique est une blague. L'amour n'est *jamais* platonique. On ne *peut* pas aimer une femme sans, violemment, désirer son corps.

F. G. : Je crois à la puissance des sentiments «purs», à leur faculté de nous conduire à l'extase, au désespoir, et à toutes sortes d'états intermédiaires. Bref, excusez-moi, je crois à l'amour. Je crois qu'il existe, dans sa poignante douceur comme dans sa terrible violence. La preuve, c'est que quelquefois il n'existe plus et que tout ce qui vous était, chez l'autre, enchantement, devient motif d'exaspération. L'ampoule qui irradiait la lumière devient un morceau de verre poussiéreux; alors que le désir peut subsister. Ah oui, excusez-moi, l'amour existe.

B.-H. L. : Ne vous excusez pas. J'y crois aussi.

F. G. : Voilà une bonne nouvelle.

B.-H. L. : On ne parle plus de la même chose. L'amour platonique, non. L'amour tout court, oui.

F. G. : Ce qui me frappe, en fait, c'est que le sentiment amoureux ne s'exprime plus. On ne chante plus de chansons d'amour, on n'écrit plus de lettres d'amour, de romans d'amour... Où est Werther, aujourd'hui? Qui oserait écrire sans encourir le ridicule : «elle m'aime, elle m'aime! Il brûle encore sur mes lèvres le feu sacré qui coule par torrents des siennes, de nouveau d'ardentes délices sont dans mon cœur...»

B.-H. L. : Personne, heureusement...

F. G. : Vous voyez! Je ne suis même pas sûre que l'on ose prononcer dans l'intimité de simples et douces paroles d'amour...

B.-H. L. : Là, vous vous avancez peut-être beaucoup.

F. G. : Tout se passe comme si l'expression du sentiment amoureux était refoulée, occultée, comme s'il s'agissait de quelque chose d'obscène, comme on refusait autrefois de parler de sexualité. L'obscène s'est en quelque sorte déplacé — Barthes l'a très bien dit — du sexuel au sentimental. On n'a que la sexualité à la bouche, on dit tranquillement d'un homme : « il a des problèmes avec sa sexualité »... mais cela vous écorcherait la langue de dire : « il est malheureux parce qu'il l'aime sans retour... » L'impudeur formidable des corps s'est étrangement doublée de la pudeur des mots. Comment expliquer ce phénomène?

B.-H. L. : Je répète : êtes-vous sûre de ce que vous dites? Je sais que c'était l'idée de Barthes. Et sans doute était-ce vrai au moment de Barthes. C'est-à-dire, ne l'oublions pas, il y a quand même plus de quinze ans. C'était l'ère du tout-au-sexe. De la sexualité à toutes les sauces. C'était l'époque où on disait « tout est sexuel » à peu près sur le même ton (et cela avait peut-être, au fond, le même sens) que « tout est politique ». Et il est clair que les *Fragments d'un discours amoureux* étaient une réaction, bienvenue, à ce climat. Mais maintenant ? On en est toujours là, maintenant ? On n'a pas, déjà, changé d'époque ?

F. G. : A cet égard, oui. La période d'émancipation libidinale, comme dit Lipovetski dans *Le Crépuscule du devoir*, s'est achevée quand le droit à la sexualité libre a été, de fait, reconnu. Maintenant, il n'est plus démodé d'être vierge, fidèle ou continent. Mais cela fonctionne comme une attitude d'autoprotection, de fermeture sur soi.

B.-H. L. : « Autoprotection » ou pas, nous en sommes là...

F. G. : Oui. Mais, en même temps, jamais le marché du porno et autres minitels n'a été plus florissant. Savez-vous qu'en Allemagne, un quart de la clientèle porno est féminine ? Non, vraiment je crois que nous sommes arrivés au stade minimal du discours amoureux. Et l'absence de chansons d'amour, cette expression populaire d'une société — n'est-ce pas significatif ?

B.-H. L. : Je ne crois pas, non.

F. G. : Qui ose se déclarer jaloux, par exemple? C'est ringard, la jalousie. Qui oserait faire rimer amour avec toujours? Si l'amour suppose la durée dans l'intention, si son éblouissement vous conduit à penser secrètement que oui, bien sûr, cette fois c'est pour toujours, je crois que personne n'ose plus prononcer «les mots pour le dire». Dire tout bêtement «je t'aime».

B.-H. L. : On reviendra sur la jalousie. C'est un thème en soi, la jalousie. De même, d'ailleurs, que cette affaire de durée. Ce qui me chiffonne, pour l'instant, c'est votre idée d'une société rongée par l'obsession du sexe et où il n'y aurait plus de place pour l'expression des mots d'amour. C'est drôle. Mais j'ai, vraiment, l'impression inverse.

F. G. : Et pourtant...

B.-H. L. : Il y a eu, bien entendu, cet interdit sur l'amour, cette pudeur des mots comme vous dites. Mais je crois qu'on y a réagi et qu'on a basculé dans l'autre sens. Vous me dites quoi? que la clientèle porno, en Allemagne, est féminine? Bon. Ce que je sais, moi, c'est que, par rapport à il y a vingt ans, une ville comme Paris a changé de visage. Il y avait des bars. Des hôtels spécialisés. Des maisons de rendez-vous dont on se refilait l'adresse. Des quartiers entiers, qui étaient voués au plaisir. Tout cela n'a pas disparu, certes. Mais

68

c'est bien moins actif qu'autrefois. Moins canaille. Comme si les gens étaient devenus sages, tellement sages — avec en toile de fond, une incroyable chute de potentiel érotique ambiant, et, en corrélat, un retour à l'élégie.

F. G. : Mais non !

B.-H. L. : Bien sûr que si. Vous me parlez de la chanson par exemple. Bon. Je ne connais pas grand-chose, c'est vrai, à la chanson. Et j'ai peur de dire une bêtise si je vous objecte que la chanson d'amour revient. Mais regardez la littérature. Ou, mieux — car elle est souvent plus significative encore — la sous-littérature. On ne va pas donner de noms là non plus, d'accord ? Mais vous voyez à quoi je pense. Toutes ces « Princesses de Clèves » du pauvre. Tous ces néo-romans courtois. Ça suinte de sentiment. Ça dit « je t'aime » à toutes les pages. C'est cucul la praline en diable. Sirupeux. Un peu débile. Prenez encore le cinéma. On s'est occupés, vous et moi, et de la même manière, de cinéma. Vous n'avez pas eu l'impression, là aussi, que le sentiment revenait en force — une sorte d'éclipse, oui, et puis un retour en force... ?

F. G. : Inutile de s'y connaître en chansons... Il suffit d'ouvrir la radio... Où diable avez-vous pris que la chanson d'amour revient ? Julien Clerc disait l'autre jour : « on met un point d'honneur à ne jamais dire " je t'aime " dans une chanson. » Et même la sous-littérature... Il y a encore, en effet, un débit régulier dans le genre sentimental, donc une clientèle probablement. Mais de quel âge ? Et exclusivement féminine. Quant au cinéma, où est le grand film d'amour de l'année ? des dernières années ? Et si l'on en fait un, vous verrez que ce sera un film historique, en costumes ! Je ne dis pas que l'amour est absent de ce qui s'écrit ou se tourne. Je dis qu'on ne le verbalise plus, comme si on avait honte, comme si c'était faiblesse que d'éprouver des sentiments forts et de les montrer.

B.-H. L. : C'est cela. Eh bien, je dis, moi, que la roue a tourné et que tout se passe comme si nos sociétés, lasses du sexe et de ses malédictions nouvelles, étaient en train de se replier sur les valeurs sûres du sentiment.

F. G. : Je ne vois pas franchement où l'on observe un repli sur les valeurs sûres du senti-ment. Pouvez-vous en citer un exemple ?

B.-H. L. : Le sida. J'ai tardé à l'admettre au début. Toutes ces enquêtes sur les années sida, vivre avec le sida, les nouveaux comportements sexuels, etc., m'énervaient prodigieusement. Mais je commence à croire, oui, que c'est un vrai tournant.

F. G. : Je vois autre chose, avec le sida, mais qui va dans votre sens. Au lieu que l'autre soit pur objet de consommation quasiment anonyme le temps d'une bordée, le consommateur devient quasiment obligé de s'inquiéter de son partenaire : qui est-il, d'où vient-il, se peut-il qu'il soit contaminé ? L'objet redevient en quelque sorte une personne. C'est important. Oui, c'est vrai, il y a là un tournant, un tournant tragique d'une certaine façon, mais un tournant qui va forcément se répercuter sur les conduites amoureuses.

B.-H. L. : C'est probablement l'origine de ce mouvement, de ce repli, dont je vous parle. Cette peur nouvelle. Ce soupçon. Cette crainte dans le regard de l'autre. Cette malédiction qui rôde. Ces corps suspects. Cette chair douteuse. La solitude des uns. La paranoïa des autres. Tous ces gens qui ont grandi dans le goût de la volupté, la religion de la liberté — et qui sentent tout à coup le piège qui se referme. Ces «habitudes», dit-on, que prennent à nouveau les amants. On appelle ça des «précautions», n'est-ce pas... Le retour de l'amour par précaution... Je ne me sens pas trop concerné, je vous l'ai dit. Mais j'écoute autour de moi. Et je suis bien obligé d'admettre que la régression est énorme. Jamais, dans l'histoire des hommes, on n'était allé si loin dans l'autre sens. Jamais on n'avait nourri tant de rêves — d'illusions ? — quant à l'épanouissement des corps, de leurs désirs. Eh bien jamais, non plus, retour de bâton si brutal, rappel à l'ordre si foudroyant...

F. G. : Oui. Entre la naissance de la pilule et celle du sida, il y a eu une sorte de parenthèse enchantée... Et elle se referme cruellement. Moi, je me sens concernée, parce que j'ai des petits-fils et que je tremble pour eux... Drogue et sida, l'une conduisant d'ailleurs à l'autre... Je tremble vraiment.

B.H. L. : J'ai des enfants, moi aussi — auxquels je tiens au-delà de tout. Mais...

F. G. : Pourquoi le sida a-t-il surgi comme une fleur empoisonnée dans les jardins de la liberté? fléau sécrété par la nature pour décimer les populations trop proliférantes? ou fléau du ciel pour rétablir l'ordre moral comme certains n'hésitent pas à le proclamer? Peut-être n'y a-t-il pas de réponse à ce pourquoi. Mais s'il en faut une je choisis la première. Avant le sida, il y a eu la syphilis. Moins radicale peut-être, mais enfin... Elle n'a jamais conduit les hommes à réfréner leurs désirs...

B.-H. L. : Oui. Moins radicale, vraiment. Et pas perçue de la même façon. Elle associait le sexe à la mort, c'est entendu. Et à la faute. Et au crime.

Tout autant que le sida, elle faisait de la moindre étreinte une possibilité de souillure, d'empoisonnement, de meurtre. Sauf qu'on n'en mourait pas si vite, quand même. Et les gens, surtout, pensaient qu'on n'en mourait pas. Regardez Baudelaire. Sa correspondance avec Poulet Malassis. Il croyait à la guérison. Jusqu'au dernier moment, il y a cru. Il n'y avait pas ce côté fatal, terriblement fatal qu'a le sida.

F. G. : La syphilis n'était pas médiatisée comme on dit aujourd'hui... On n'en parlait pas, on la cachait. Mais que de destructions, que de morts atroces... Et son existence, le danger formidable de contamination n'a en rien modifié, que l'on sache, la « consommation » sexuelle. Pas plus que dix mille morts par an sur les routes ne découragent la circulation automobile. Néanmoins, vous avez raison, le caractère fatal du sida est spectaculaire. Entraînera-t-il un retournement des mœurs? une grande terreur paralysante? autre chose qu'un nouveau marché pour les capotes anglaises? Vous semblez le croire. Les signes ne m'en apparaissent pas encore. Pour le moment, les consommateurs de sexe sont surtout furieux. Comme s'ils étaient volés d'un droit. Mais quelque chose, sûrement, est en train de changer dans les relations sexuelles de rencontre. La peur est là. Peut-être en naîtra-t-il, en effet, un nouveau puritanisme.

B.-H. L. : Ce qui est sûr c'est que c'en est fini du thème — et du mythe — de l'innocence sexuelle. Fléau du ciel, dites-vous? ou fléau naturel? Ni l'un ni l'autre. Mais signe en revanche, ou rappel, de cette évidence première : l'amour peut être gai; la sensualité joyeuse; la rencontre de deux corps peut être une fête des sens et de l'esprit; il reste, au cœur de toute étreinte, cette dimension de maléfice. C'est ce que je disais avant-hier, je vous signale. C'est exactement ce que je disais. Et c'est aussi en pensant à cela que j'insistais sur cette idée : il n'y a d'amour que coupable.

F. G. : Ce qui est sûr, également, je le maintiens, c'est que votre nouveau puritanisme, on n'en voit pas encore les prémices. D'ailleurs, il n'y aura jamais de puritanisme en France. J'ose dire : heureusement. Mais il est vrai que l'on peut observer, parmi les très jeunes gens, un refus un peu écœuré du tout-sexe, le retour peut-être d'un certain respect de soi et d'une nouvelle délicatesse des sentiments. C'est l'hypothèse optimiste. L'autre, c'est que l'on assiste à un... comment dire... un affaissement du désir... Un affaissement qui ne concerne pas seulement le désir sexuel, d'ailleurs, mais tous les désirs. Une sorte de perte d'appétit généralisée. Il me semble qu'il se produit quelque chose comme ça, en ce moment.

B.-H. L. : Voilà. On est d'accord. C'est très exactement ce que je vous disais.

F. G. : Cela arrive...

B.-H. L. : Un mot encore, tout de même. Vous avez bien dit : « jamais de puritanisme en France... ».

F. G. : Je dis : jamais. Laissez-nous au moins cela.

B.-H. L. : Là, je ne vous suis pas. N'avons-nous pas eu, nous aussi, notre période « victorienne » ?

F. G. : Rien de comparable, même au plus noir du XIXe siècle. Les Français aiment la vie.

B.-H. L. : Je vous trouve bien optimiste, à nouveau. Mac-Mahon... L'ordre moral... Le Sacré-Cœur... Toute cette époque où, comme disait...

F. G. : Je vous parle de puritanisme. Précisément de puritanisme. Et je crois que celui-ci est incompatible avec ce goût des choses de la vie qui est consubstantiel aux Français.

B.-H. L. : Là, pardonnez-moi, mais c'est le cliché type. Je ne vois pas pourquoi « les » Français

75

auraient vocation particulière à goûter les choses de la vie.

F. G. : C'est pourtant ce que dit leur histoire.

B.-H. L. : Bon. Mettons. On ne va pas passer une heure là-dessus. Vous me demandiez quels étaient les films d'amour de l'année, ou des dernières années. La réponse est : tous, voyons. Presque tous. Des *Amants du Pont-Neuf* au *Grand Bleu*. De Besson et Beinex à Rochant. Sans parler de Rohmer qui ne parle, vous le savez bien, que de cela — même s'il se situe, lui, à une tout autre altitude... Quant aux Américains, regardez. Lorsqu'ils font un érotique, ça donne *Basic Instinct* qui primo est un mauvais film, secundo provoque un tollé.

F. G. : *Les Amants du Pont-Neuf*, seule véritable histoire d'amour dans ce que vous citez, fait un flop et *Basic Instinct* un formidable succès, y compris en France. Et les gens courent voir *L'Amant*, ce porno haute couture. Mais c'est autre chose. Je persiste à penser que cette espèce d'aphasie concernant les sentiments existe, de refoulement de leur expression. Et ce sur quoi je m'interroge est le point suivant : est-ce une pure question de verbe ou bien est-ce le sentiment amoureux lui-même qui s'est anémié ? Est-ce la passion qui s'est tarie ? Est-ce que l'amour est vécu désormais en mineur ?

76

B.-H. L. : Un film comme *Les Nuits fauves* de Cyril Collard...

F. G. : Là, le sentiment amoureux est verbalisé en effet, il est même hurlé mais dans un contexte plutôt spécial, morbide et «hard», de bisexualité...

B.-H. L. : C'est un beau film.

F. G. : Ce n'est pas la question.

B.-H. L. : Pour ce qui est de *Basic Instinct*, je ne dis pas que le film a été un échec mais qu'il a fait scandale. Et que cela témoigne, aux U.S.A. mais aussi chez nous, d'un retour du puritanisme. Ma conviction en d'autres termes — enfin, ma conviction... — c'est qu'on assiste à un reflux, une désérotisation généralisée. Avec, puisqu'on parle de cinéma, des choses tout à fait symptomatiques.

F. G. : Lesquelles?

B.-H. L. : Les corps, par exemple. Rien que la représentation des corps. Il y a manière et manière de représenter un corps. Il y a la manière érotique; il y a la manière hygiénique. Il y a le corps en chair; il y a le corps en muscle. Il y a le corps excitant; il y a le corps sain, le corps en forme, celui dont on nous dit qu'il fait de la gym tous les matins et prend deux yaourts par jour.

F. G. : Le syndrome Jane Fonda... Vous oubliez la dégustation obligée de fibres naturelles...

B.-H. L. : Voilà. De plus en plus, on est dans le second régime. Et l'étalage du sexe, son omniprésence, sa dictature, etc., ne sont plus, depuis longtemps, qu'un leurre, une apparence.

F. G. : Je ne dis pas le contraire.

B.-H. L. : Vous dites que c'est le sentiment amoureux qui reflue. Ou plus exactement, son expression. Je dis, moi, que c'est l'érotisme qui s'étiole. Ou, en tout cas, son intensité. Eh bien, peut-être, après tout, avons-nous raison ensemble. Peut-être les deux phénomènes sont-ils liés, les deux reflux s'entraînent-ils l'un l'autre... Puisque tout est indissociable... Que le désir, si je puis dire, marche toujours sur les deux jambes...

F. G. : Il y a peut-être une raison à cette contention verbale. C'est la prolongation de la vie. Je veux dire que la connaissance pratique, concrète que l'on a du « temps de vie » d'un amour, d'une liaison, d'un mariage, la multiplication des divorces a changé l'appréhension qu'on en a. Si enivré que l'on soit de l'Autre, si sûr que l'on soit de ses propres sentiments, et de ceux de l'Autre, on sait quelque part dans sa tête, dans son inconscient, que ce n'est pas « pour la vie ». On sait en tout cas que les gens qui vous entourent le savent et pensent à votre sujet « ça durera combien de temps ? ». Et quand on aime, surtout la première fois, ça vous révolte...

B.-H. L. : Je crois, moi, qu'on ne sait rien. Jamais rien. Ce serait tellement plus simple, si on savait...

F. G. : Qui ne sait aujourd'hui, en se mariant, dans le fond de lui-même, que le divorce n'est pas fait pour les chiens ? Alors on ne va pas se donner le ridicule de décliner amour et toujours. A la limite, on conjure le sort en parlant d'amour en mineur, avec ce zeste de dérision qui est si caractéristique des échanges modernes. On ne croit à rien, de quoi aurait-on l'air en croyant à l'amour !

B.-H. L. : Une sorte de déniaisement, donc... Ou de propédeutique du soupçon... Oui... Je ne vois, décidément, pas les choses ainsi... Il y aurait une autre hypothèse : que l'on soit au seuil d'une vraie mutation, d'une métamorphose en profondeur... Après tout, ce que nous appelons l'«amour» n'a pas toujours existé, ni toujours dans les mêmes formes. Alors de là à ce qu'il disparaisse, à ce qu'on passe à autre chose, réellement à autre chose...

F. G. : Là, pour le coup, on pourrait parler d'une mutation ! Diriez-vous que l'amour n'est plus « la plus grande affaire de la vie » après l'avoir été pendant... quoi ? plus de trois siècles !

B.-H. L. : ... « la plus grande affaire, ou plutôt la seule... »

F. G. : Oui. Stendhal, encore...

B.-H. L. : Je ne sais pas. Je suis tenté de dire que si, l'amour reste la grande affaire. Ce l'aura été pour moi. J'appartiens, réellement, à une génération qui, même lorsqu'elle a fait de la littérature, de la politique, etc., même lorsqu'elle s'est trouvée mêlée aux batailles ou aux ambitions de l'époque, n'a jamais perdu de vue le mot de Sartre que nous citions avant-hier : si grave que soit le jeu, si raisonnables et sérieux que nous soyons, c'est quand même le projet de séduire les femmes qui est au poste de commande... Alors est-ce que c'est resté vrai pour les autres ? Pour la génération d'après ? J'ai tendance à penser que oui. Je n'ai pas de vrais éléments de comparaison, mais j'ai tendance à penser que oui.

F. G. : Ce fut aussi le cas de ma génération. Les hommes étaient alors littéralement habités par les femmes. Le sont-ils autant ? Probablement, mais tout cela est plus désinvolte, plus cru, d'une certaine façon plus honnête... Tout un habillage sentimental, auquel les femmes étaient attachées, me paraît avoir disparu. Elles exigent moins de feintes, moins de mensonges, moins de camouflage au désir brut. Et peut-être regrettent-elles ce qu'il y avait de civilisé dans la feinte...

B.-H. L. : Je suis sûr que les femmes — enfin : la plupart des femmes — étaient attachées, en effet, à tous ces rituels qui sont ceux de la séduction. Quant aux hommes... Je ne sais pas trop, pour les hommes... Il y a les deux catégories... Les deux dont vous parliez, l'autre jour... Ceux qui aiment les femmes, qui les aiment vraiment et qui, si l'on devait assister à cette déflation générale de l'amour et de ses codes, en ressentiraient une vive nostalgie — et puis les autres... Pour ces «autres», cela va très bien. Vive tout ce qui peut «alléger» les procédures de séduction! Vive la vérité dans la drague! le rapport immédiat! la transparence! vive la sexualité sans fond, ni fard, de ces hommes politiques qui se vantent, qui se targuent...

F. G. : Les hommes politiques... Les pauvres... La plupart d'entre eux ont des rapports misérables avec les femmes parce qu'elles leur servent essentiellement de cautère sur les plaies de leurs échecs. Les choses vont mal pour moi? Je suis battu? Vite une femme pour me dire que je suis le plus beau et le plus intelligent, qui me rassure au moins quant à la vigueur du sexe que je vais exhiber en son honneur... N'importe laquelle fait l'affaire, celles qu'ils ont sous la main et il y en a toujours une qui traîne dans les parages... C'est un dur métier, la politique, il faut les comprendre...

B.-H. L. : Le problème, c'est que les femmes marchent. Et, contrairement à ce que vous dites, pas forcément n'importe lesquelles... Pas forcément celles qu'on a sous la main...

F. G. : Je ne sais pas à qui vous pensez... Mais, franchement, ils ne visent pas très haut en général... Ils ne se lancent pas dans de véritables entreprises de conquête... Pas le temps. Ils glanent. Et comme nous l'avons déjà dit au début de ces conversations, les femmes aiment la puissance, les signes extérieurs de puissance qui s'attachent toujours, peu ou prou, à l'homme politique.

B.-H. L. : Il y a une exception, c'est Mitterrand. Sans être spécialement mitterrandolâtre, je crois vraiment que c'est l'exception. Je ne sais pas où il en est, bien sûr. Mais je me souviens de conversations, autrefois, avec un homme qui aimait vraiment les femmes, qui s'intéressait réellement à elles. Aujourd'hui encore, d'ailleurs... Je ne vais pas trahir de secrets sur aujourd'hui... D'autant que je n'en ai évidemment pas... Mais je me rappelle le moment, il n'y a pas si longtemps, où paraissait *Femmes*, le livre de Sollers. J'étais avec lui, Sollers, au coin du boulevard Saint-Germain et de la rue des Saints-Pères. On sortait de déjeuner. On allait se quitter. Arrive Mitterrand, flanqué de Pelat et, je crois, de Dumas. Il s'arrête. Bavarde un peu. Me reproche de ne plus « venir le voir ». S'avise qu'il ne connaît pas Sollers. On parle un peu politique. Communistes. Programme commun. Sollers, assez en verve, lui donne sa conception des rapports entre l'intellectuel et le pouvoir. Mitterrand dit que le sujet est trop important pour être réglé là, sur un trottoir, et nous propose donc de venir déjeuner, « un de ces jours », pour continuer. Le lendemain, dès le lendemain (quand on connaît Mitterrand, c'est un record !) arrive l'invitation. Quelques jours plus tard (toujours un record !) le déjeuner. De quoi croyez-vous que nous parlons, alors ? des communistes ? du programme commun ? de la France ? du monde ? des rapports entre les écrivains, le pouvoir, etc. ? Pensez-vous ! Il n'a qu'une idée en tête, Mitterrand, ce jour-là. Il n'y a qu'une chose qui l'intéresse. C'est de savoir qui sont Kate, Louise, Deborah, Bernadette, la Présidente, oui, surtout la Présidente — bref les personnages féminins du roman de Sollers. Il nous a fait venir pour cela. C'est la seule raison de ce déjeuner. Il veut les « clefs » du livre — et, d'ailleurs, il ne les aura pas. Max Gallo, qui assiste à la séance, n'en croit pas ses oreilles. Il essaie bien de mettre la conversation sur des sujets plus graves, ou plus nobles. Il essaie la politique. Ou la littérature « en général ». Peine perdue! Le déjeuner se terminera tard. Mais le Président, ce jour-là, n'avait de science (et quelle science!) que sur une matière : celle-là, la nôtre — celle des rapports entre hommes et femmes...

F. G. : Nul doute que sur la question il en connaît un bout. Mais il me paraîtrait fort indiscret de nous introduire tout à coup dans sa vie privée, quoi que nous en sachions l'un et l'autre.

B.-H. L. : Evidemment.

F. G. : Disons, parce que ce n'est un secret pour personne, qu'en effet il aime les femmes et que cela a été, avec la politique, la grande affaire de sa vie.

B.-H. L. : Peu importe son cas particulier. Il y a là — c'est ce qui m'intéresse — un type de rapport entre le goût de l'amour et celui de la politique qui est à la fois peu fréquent et plutôt sympathique.

F. G. : Oh! Ce n'est pas rare même s'il est, lui, champion olympique... Mais dites-moi... pourquoi parle-t-on avec attendrissement d'un homme qui aime les femmes et ne parle-t-on pas sur le même ton d'une femme qui aime les hommes? Pourquoi le féminin de «coureur» est-il «coureuse»?

B.-H. L. : Vous vous souvenez de ce personnage de Huysmans qui veut séduire une belle, l'emmène chez lui, orchestre toute sa mise en scène, fait le malin, le fiérot, déploie tout l'arsenal de sa virilité — et puis se décompose quand la femme passe à l'action et manifeste une petite, oh toute petite velléité de prendre les choses en main. Elle devient une femme damnée. Un Satan en jupons. Elle l'emmène du reste, si j'ai bonne mémoire, assister à une séance de sorcellerie. Eh bien, c'est cela, le modèle. Cela, la constante. Qu'une femme ait l'air d'«aimer ça», qu'elle ait l'air de vivre l'amour autrement que dans le rôle soumis, et passif, que voudraient lui assigner certains hommes, et la voilà devenue, non seulement «coureuse», mais «salope»...

F. G. : Huysmans était un peu dingue. Et on peut supposer que cette attitude ressortit au besoin d'être «le maître». Je vous parlais de ce type particulier, «la femme à hommes», comme on dit «homme à femmes», ce sont souvent des femmes charmantes et gaies parce qu'elles se donnent beaucoup de bon temps, et elles ont une réputation épouvantable. On les méprise, c'est un fait.

B.-H. L. : Est-ce qu'on peut revenir à ce que vous disiez? Cette évolution du discours sur l'amour... Sa dépression... Et l'idée — votre idée — que si les gens parlent moins d'amour, c'est qu'ils se méfient tout à coup : la vie s'allonge ; ils savent qu'ils rencontreront d'autres femmes, d'autres hommes ; ils savent que cette aventure n'est vraisemblablement pas la dernière ; alors ils ne se donnent pas le ridicule de faire rimer amour avec toujours...

F. G. : Voilà.

B.-H. L. : Eh bien, je ne sais pas, à la réflexion, si je suis tellement d'accord.

F. G. : Non?

B.-H. L. : Non. Parce que je ne crois pas que le fait de savoir, d'être averti, déniaisé, je ne crois pas que le fait d'avoir de l'expérience (la sienne, comme celle des autres) influe, tant que cela, sur le mécanisme de la passion. Est-ce que le fait de « savoir », d'avoir les « infos », empêche les racistes d'être racistes ? les communistes, communistes ? les intégristes, intégristes ? La comparaison est bizarre, vous me direz. Pas tellement. Car

86

l'amour, aussi, est un égarement. C'est une sorte de folie, ou de passion. Et cette passion, je ne crois pas que l'«entendement», la «juste raison», puissent l'éclairer.

F. G. : Touché. La raison n'éclaire jamais la passion. Alors peut-être faut-il penser, comme vous le suggériez tout à l'heure, que l'amour lui-même a fait retraite en même temps que nous nous sommes en quelque sorte «décivilisés», que nous retournons à la brutalité du désir pur, sauvage, qui n'a pas besoin de mots.

B.-H. L. : Ce n'est pas ce que je disais. Car ce serait déjà bien, le «désir pur, sauvage»...

F. G. : Vous dites quoi, alors? Que l'amour lui-même peut s'éteindre parce qu'il n'a pas toujours existé? Enfin tout de même, le Cantique des Cantiques... Ce n'était pas mal!

B.-H. L. : Ce qui est beau dans le Cantique des Cantiques c'est qu'on ne sait jamais s'il s'agit de l'amour humain ou divin. Ce sont les mêmes mots. Les mêmes thèmes. Nous dirions aujourd'hui : les mêmes fantasmes. En sorte qu'Eros et Agapé, l'amour charnel et l'amour sublime, sont indexés l'un sur l'autre, ajustés l'un à l'autre.

F. G. : « Mon bien-aimé est brillant et rose
distingué parmi dix mille
sa tête est d'or pur
ses boucles sont des palmes noires
comme le corbeau... »

B.-H. L. : Voilà. Eh bien, peut-être est-ce cela qui a disparu : entrelacement des deux ordres, ces deux amours qui se nourrissaient l'un l'autre...

F. G. : Nous ne connaîtrions plus que la dimension profane de l'amour ? Oui... C'est un signe de notre temps qu'il ne sait plus où mettre le sacré... Tout cela me rend un peu triste. A demain.

B.-H. L. : A demain, Françoise. Car la question est vaste, cette fois. Ce n'est pas ce soir que nous y répondrons.

4

DE LA JALOUSIE,
CONSUBSTANTIELLE A L'AMOUR

B.-H. L. : Pardon, je suis un peu en retard. Nous avions commencé à parler de la jalousie. Et nous sommes passés à autre chose.

F. G. : Oui. Quel est votre signe astral ?

B.-H. L. : Mon signe astral ? Heu... Je refuse absolument de m'intéresser à mon signe astral...

F. G. : Le signe des Gémeaux exclut la jalousie. Enfin ce sont les gens savants qui le disent. Heureux Gémeaux...

B.-H. L. : Bon. Je ne dois pas être « Gémeaux ».

F. G. : Soyons sérieux. Voilà quelque chose qui a changé, la jalousie. Ou plutôt la façon dont elle est vécue...

B.-H. L. : Oui ? Là non plus, je ne sais pas... Je

n'arrive décidément pas à croire que tout cela ait vraiment « changé ».

F. G. : Si. Autrefois, cela allait de soi la jalousie. Un jaloux, une jalouse étaient conformes à l'image de l'amant, de l'amante. Aujourd'hui, c'est mal vu. C'est vieux jeu, c'est indigne. Mais c'est, néanmoins...

B.-H. L. : Bien sûr.

F. G. : De sorte qu'on souffre non seulement d'être jaloux, mais d'être indigne. On souffre de souffrir ce que l'on souffre.

B.-H. L. : La Rochefoucauld disait déjà que la jalousie était une maladie; et cette maladie donnait, à son tour, la peste, la rage et la gangrène.

F. G. : Et alors?

B.-H. L. : Et alors elle ne date pas d'hier, cette disqualification de la jalousie. Depuis qu'il y a des amants, il y a des jaloux. Et depuis qu'il y a des jaloux, leur jalousie est inavouable.

F. G. : Autrefois on sanglotait, on tempêtait, on hurlait, on tirait des coups de revolver, on étranglait sa femme comme Othello...

B.-H. L. : On hurle toujours. On ne tempête pas moins. Et il reste des hommes, éventuellement philosophes, qui étranglent leur femme...

F. G. : Il n'y a quasiment plus de crimes passionnels... Cela signifie bien quelque chose ! La cruauté de la jalousie aux dents vertes est toujours la même, mais aujourd'hui on en contient davantage, me semble-t-il, les manifestations bruyantes...

B.-H. L. : C'est étrange. Mais je ne sens pas du tout, du tout, les choses ainsi.

F. G. : Mais si ! On ne s'écrie plus comme Heine : « O dis-moi, amour de mon cœur, pourquoi m'as-tu délaissé ? » On a mauvaise conscience d'être jaloux comme on l'aurait d'avoir mauvaise haleine... Et les hommes ne pleurent plus. Avez-vous remarqué que les hommes ne pleurent plus ? Voilà qui est relativement récent. Je ne sais pas quand ça a commencé, mais du temps de Goethe, ils pleuraient énormément.

B.-H. L. : Du temps de Goethe, je vais vous dire : ils pleuraient à tout bout de champ. Sur la mort d'un rossignol, la beauté d'un paysage, une bataille perdue ou gagnée, un regard, un spectacle, une rime heureuse, une pièce de théâtre — et donc, en passant, la trahison d'une femme aimée...

Autrement dit, cela ne prouve rien : les hommes pleurent moins; cela ne signifie pas qu'ils soient devenus moins jaloux.

F. G. : Moins jaloux, sûrement pas. Ni les femmes moins jalouses. Je n'ai jamais dit cela. La jalousie vient du fond de l'enfance, vous savez. C'est entre frères et sœurs qu'on l'éprouve d'abord. Et comme on vous répète que « c'est mal d'être jaloux », on ne la liquide jamais. Je dis seulement qu'on en souffre peut-être plus encore aujourd'hui, d'avoir à en refouler l'exhibition. Avez-vous déjà été jaloux? Jaloux vraiment veux-je dire. Pas l'agacement fugitif provoqué par l'attention excessive de quelque belle compagne pour un beau parleur, dans un dîner? Jaloux avec un motif, ou croyant en avoir...

B.-H. L. : Le propre de la jalousie est qu'elle n'a pas de motifs. Tous les motifs, pour elle, se valent. Il n'y a pas de bons et de mauvais motifs, de vraies et fausses jalousies. Il y a le jaloux, simplement — qui s'empare de n'importe quel signe, indice, preuve ou motif pour en faire le support de sa construction délirante...

F. G. : Bon. Mais vous? Avez-vous déjà été jaloux?

B.-H. L. : Je ne sais pas si la question a beaucoup d'intérêt.

F. G. : Mais si!

B.-H. L. : Disons que je suis comme tout le monde. Je hais la jalousie. Je sais que c'est une passion hideuse. Mais s'il faut être franc, alors oui, j'ai été — je suis — jaloux.

F. G. : Bon.

B.-H. L. : J'ajoute, d'ailleurs, que je le suis en général pour ce que vous appelleriez des motifs frivoles ou fictifs. Car c'est bien ce que nous disons, n'est-ce pas? Il n'y a pas, dans cette matière, de motifs plus ou moins sérieux. Les vrais jaloux n'ont, vu de l'extérieur, aucune raison rationnelle de l'être. Ils le sont, voilà tout. Sans rime ni raison. C'est une calamité. Un poison. Ils sont intoxiqués par ce poison.

F. G. : Je vais vous raconter une histoire de jalousie. J'avais seize ans, j'aimais un homme de trente ans, éperdument, je sentais cet amour jusque dans mes os, il était particulièrement «aimable», d'ailleurs. Je travaillais avec lui, lui m'aimait bien, il s'amusait de moi, me traitait comme une sorte de petite sœur un peu incestueuse, me couvrait d'attentions tendres... Et puis un soir, devant moi, il a demandé un numéro de téléphone à Berlin. Berlin, je m'en souviens encore. Et il a entrepris une conversation avec une femme que je connaissais, une comédienne, une de ces conversations interminables, chuchotées, comme en ont les amants la nuit... Il m'a fallu quelques minutes pour comprendre... Et alors, soulevée par la fureur, j'ai saisi un vase qui se trouvait là et je l'ai jeté par terre où il s'est brisé... Il s'est interrompu, il a dit : « j'avais oublié que tu étais là »... et il a repris sa conversation. J'ai ressenti une telle humiliation, une telle brûlure, une telle honte que plus jamais, plus jamais quelqu'un ne m'a arraché l'expression d'un sentiment de jalousie. Et que, de ma vie, je n'ai fait ce qui s'appelle une scène, pour aucun motif, d'ailleurs.

B.-H. L. : Ce sont ces barbelés dans le cœur dont vous parliez l'autre jour ? C'est si difficile de « contenir » la jalousie... Elle fait tellement partie de l'amour... Elle lui est tellement consubstantielle...

F. G. : Il y a tout de même des natures plus ou moins jalouses, plus ou moins promptes au soupçon.

B.-H. L. : Toutes les femmes ne sont pas des Phèdre, heureusement.

F. G. : Ni tous les hommes des Alceste.

B.-H. L. : Mais la jalousie reste la jalousie.

F. G. : Certains hommes sont à vous rendre folle. J'ai connu un jaloux pathologique qui était d'autre part l'homme le plus spirituel du monde. Quand il entrait en transe jalouse, il devenait bête et vulgaire. Oui, vulgaire. Dans ses accusations, dans ses prétendues observations. Tout lui était prétexte, un mot, un sourire, une bouderie, une nouvelle robe. Il aurait voulu m'enfermer dans un tiroir et ne m'en sortir que pour lui, il avait l'impudence de le dire. Mais ce sont des preuves d'amour, me disait-il, des preuves d'amour ! J'ai fini par les jeter, lui et ses preuves. Car le drame, avec la jalousie, est que plus on se sent surveillé, épié, plus on étouffe, et plus on est tenté de donner motif au soupçon. C'est un engrenage dégradant.

B.-H. L. : Cela dépend. Il y a deux façons, pour celui qui en est l'objet, de recevoir la jalousie. Il peut la trouver étouffante, en effet. Mais il peut aussi y voir (et de ce point de vue, « votre » jaloux n'avait pas tort) une preuve ou, en tout cas, un signe d'amour. Il y a des femmes qui attendent ce signe. Certaines, même, l'exigent. Si vous n'étiez pas jaloux, ou pas assez jaloux, elles y verraient l'indice, avant-coureur, du désamour. Combien d'hommes ont entendu dans la bouche d'une femme qui, en effet, n'était plus aimée, ou commençait de l'être moins : «tu n'es même plus jaloux!» Combien ont joué la comédie de la jalousie! Pour parodier le mot célèbre : «où est cet heureux temps où tu étais maladivement jaloux?»

F. G. : L'absence totale d'indice de jalousie est troublante et peut être prise pour un début d'indifférence, en effet. Mais il y a petits signes... et gros signes. Vive les petits signes. Je suis plus réservée sur les «gros» signes.

B.-H. L. : Soit.

F. G. : Cela dit, la pire des jalousies est la jalousie rétrospective. Celle-là est vraiment torturante pour l'un et pour l'autre. Rien ne peut l'apaiser. Ce n'est pas : «tu ne m'aimes plus...» C'est : «qui as-tu aimé avant moi?» L'horreur.

B.-H. L. : Oui, l'horreur. Mais en même temps — c'est terrible à dire — l'amour! Proust, comme vous le savez, dit que l'essence de l'amour c'est la jalousie. Mais il ajoute que l'essence de la jalousie c'est la jalousie rétrospective. Pourquoi? Parce que l'amour c'est la possession et qu'on ne possède pas quelqu'un quand on n'en possède que ce petit bout, dérisoire, qu'est son présent. Proust aime Reynaldo Hahn. Il le veut. Et comme il le veut, et qu'il le veut vraiment, il cherche à connaître, contrôler, éventuellement annihiler, cette part de

96

lui qui lui échappe et qui est, par définition, son passé. Je ne vous dis pas que c'est amusant. Ni qu'il ne faille pas, à tout prix, museler cette jalousie. Chose que Proust d'ailleurs (sa *Correspondance* en fait foi) promet régulièrement de faire. Mais enfin, c'est ainsi. Cela ne peut sans doute être qu'ainsi. La jalousie fait, hélas, partie du jeu.

F. G. : Mais on ne possède jamais quelqu'un ! C'est une idée monstrueuse et folle. On possède tout au plus ce que l'on change dans l'autre, fût-ce sa coiffure ou la couleur de ses cravates. On ne sait rien de l'autre, de ce qu'il est hors de votre vue. Alors son passé ! Ce serait très ennuyeux, d'ailleurs, quelqu'un que l'on «posséderait» complètement, qui serait sans surprise, sans ombres...

B.-H. L. : Je ne sais pas...

F. G. : Les héros de Proust ont de drôles de partenaires, qui traînent quelque chose comme passé... Mais sans doute ne les choisissent-ils pas par hasard et est-ce justement ce qu'il y a en eux d'équivoque, de trouble, de volontairement insaisissable qui les rend désirables... Il reste que personne n'a écrit mieux que lui sur la jalousie et que nous devrions avoir honte d'en parler après lui.

B.-H. L. : Oh! Honte... S'il fallait, en plus, avoir honte...

F. G. : *Albertine disparue* est un chef-d'œuvre...

B.-H. L. : Justement. Cette question, par exemple, de la jalousie rétrospective...

F. G. : Oui?

B.-H. L. : Nous sommes, je vous le répète, d'accord. Et les gens qui ne se tiennent pas, qui ne retiennent pas cette jalousie, les gens qui ne font pas tout ce qu'ils peuvent pour la censurer, les gens qui la laissent parler, gagner comme un cancer, se propager, investir les moindres recoins, zones d'ombre de votre passé, ces gens, hommes ou femmes, il est évident, oui, qu'ils deviennent vite insupportables. Mais ce qui est magnifique dans *Albertine,* c'est que Proust nous y parle de l'essence de l'amour, de ses tentations ultimes. Et de ce point de vue (du point de vue, si j'ose dire, de l'analyse « chimique » du phénomène) la démonstration est implacable : la jalousie a beau être une mécanique morbide, maladive, monstrueuse, elle a beau être ce cancer, cette leucémie de l'âme — c'est aussi, malheureusement, une composante (essentielle) de l'amour...

F. G. : Je ne vois rien à vous objecter, hélas.

Hélas parce que ça fait mal et au-delà. Mais il me semble que, dans un couple, il y en a toujours un qui est plus prompt à la jalousie que l'autre, plus prompt à se torturer, à se tourmenter, à se saisir de motifs futiles. Il y a sûrement une disposition à la jalousie dont Proust était amplement pourvu. Swann est jaloux, Odette ne l'est pas. Parce qu'elle ne l'aime pas ?

B.-H. L. : Bien sûr.

F. G. : Le narrateur de *La Recherche* est jaloux, Albertine ne l'est pas. Même raison ?

B.-H. L. : Evidemment.

F. G. : Mais ce n'est pas un hasard si l'on aime qui ne vous offre en retour que tiédeur, qui n'aime que se laisser aimer.

B.-H. L. : Ce n'est pas non plus ce que je dis. Car je crois, en même temps, à la possibilité de l'amour réciproque.

F. G. : Vous disiez : « pas d'amour heureux ».

B.-H. L. : Cela n'empêche pas la réciprocité. Fût-ce dans le malentendu. La réciprocité, *passionnée*, d'un malentendu.

F. G. : Il y a une certaine disposition, je ne trouve pas d'autre mot, à l'amour malheureux. D'autant que...

B.-H. L. : Une autre idée de Proust avait, en son temps, frappé Deleuze. Je la trouve si juste! La jalousie, dit-il, est une herméneutique. Une science des signes et de leur interprétation. On n'est jamais jaloux d'un «fait», finalement. On n'est pas jaloux — sauf exception, style la scène que vous racontiez — de ce que le partenaire vous trompe, trahisse ou quitte. Il peut vous trahir, bon, d'accord. Ce sera terrible. Vous souffrirez. Vous le trahirez peut-être en retour. Mais...

F. G. : Ça, c'est ce qu'il ne faut pas faire. Mauvaise thérapeutique. C'est le moyen le plus sûr de souffrir doublement.

B.-H. L. : D'accord. Mais ne nous plaçons, de toute façon, pas dans ce cas. Ce qui déclenche la jalousie, ce qui met en branle son vrai mécanisme, ce sont des choses bien plus ténues. C'est un regard par exemple. Une mine de la femme aimée. Une moue que vous ne lui connaissiez pas. Une conversation qui s'attarde. Un intérêt suspect. Une caresse même...

F. G. : Une caresse?

B.-H. L. : On peut être jaloux d'une caresse, oui. Oh! pas une caresse adressée à un autre! Non! Une caresse que l'on reçoit — une caresse exquise. Charmante. Mais qui vous semble bizarre, soudain. Mal ajustée au reste. Et dont vous vous demandez d'où diable elle peut venir, dans quel stock infernal elle est allée la puiser. On peut être jaloux d'un mot. D'une intonation un peu différente. On est jaloux de choses infimes. Et plus elles seront infimes, plus la jalousie sera intense. Des signes, oui. Toujours des signes. Et, autour de ces signes, tout un délire interprétatif, toute une science du déchiffrement...

F. G. : Cela me rappelle l'histoire cocasse d'Hélène Lazareff. Elle aimait bien les messieurs, comme vous savez. Elle part aux Etats-Unis avec son mari. A son retour je constate qu'elle s'est mise à fumer des cigarettes françaises. J'en déduis qu'un nouvel amant — dont je ne citerai pas le nom — est entré dans sa vie. Et j'avais raison.

B.-H. L. : La question est : est-ce que le mari s'en est aperçu aussi?

F. G. : Je le crains, hélas.

B.-H. L. : Eh bien, voilà. Nous y sommes. C'est comme cette autre histoire, plus récente. Un homme qui fait tout ce qu'il peut pour dissimuler une double vie. Il y parvient assez bien. Met en place des dispositifs d'une sophistication extraordinaire. A une réserve près, qui le trahit : un mot, nouveau, qu'il emploie ; un petit mot tout simple, mais incongru, et qui n'est à l'évidence pas à lui ; et c'est cette erreur de lexique qui va tout mettre par terre.

F. G. : C'est là que je distingue deux sortes de jaloux. Celui qui est avide de saisir tout ce qui peut nourrir la bête lovée en lui, celui qui est à vif, et celui, plus épais peut-être, qui est moins vigilant, moins pressé de souffrir.

B.-H. L. : Je ne sais pas si on peut distinguer. Car je ne sais pas si on peut contrôler. La littérature récente a produit deux grands exemples de jaloux. Nathan, le héros du *Choix de Sophie*; Solal qui, dans les dernières pages de *Belle du Seigneur*, nous joue des scènes de jalousie assez sidérantes. Sans parler, au cinéma, d'un personnage qui leur ressemble et qui est le héros d'*El*, le film de Buñuel. Dans laquelle de vos deux catégories les rangeriez-vous ?

F. G. : Je me souviens mal du *Choix de Sophie*. Solal est surtout un comédien, me semble-t-il, avec un ego gros comme une maison. Il se joue le grand air de la jalousie comme il s'est joué l'air du grand amour. La seule idée d'avoir eu un prédécesseur dans le lit, que dis-je? dans le cœur d'Ariane le rend fou pour des raisons très peu «proustiennes». Parce qu'il s'en ressent diminué. Si ce prédécesseur était le roi d'Egypte, il le prendrait autrement, c'est sûr, mais un quelconque chef d'orchestre... Il souffre, oui, il souffre terriblement. Dans sa vanité.

B.-H. L. : Vous êtes sûre du « scénario » ? Vous êtes certaine que la vanité soit le ressort de sa jalousie?

F. G. : C'est mon interprétation.

B.-H. L. : Je ne me souviens pas de cela. Je me souviens d'un Solal plus fou. Plus réellement torturé, et plus fou.

F. G. : Il se retrouve aimé par une femme quelconque qui a eu des faiblesses pour un homme quelconque. Intolérable.

B.-H. L. : A propos de Cohen d'ailleurs, de son côté ou non proustien, je me souviens d'une histoire amusante. J'étais allé le voir à Genève. C'était l'époque où je venais parfois, le samedi, le voir chez lui, à Genève, dans ce petit appartement de l'avenue Krieg d'où il ne sortait plus. Nous parlions de lui, d'Israël, des femmes, d'Ariane, de la fin de *Belle du Seigneur*, du double suicide, d'autres fins possibles. Et je me rappelle qu'une fois je lui avais dit, de *Belle du Seigneur* donc, que c'était, avec le *Temps perdu* de Proust, le grand roman d'amour du XXe siècle. Il m'avait regardé. Longuement, et curieusement regardé. Il s'était tu un moment. Avait tripoté, nerveusement, son chapelet d'ambre. Il s'était levé. Rassis. Une lueur inquiète, puis navrée, était passée dans son regard. Et il m'avait répondu, d'un air perdu, presque enfantin : «Pourquoi avec le *Temps perdu* de Proust?» La comparaison me paraissait, c'est le moins que l'on puisse dire, flatteuse. Apparemment, elle le blessait. Il ne supportait pas l'idée de partager avec quiconque l'honneur d'avoir écrit le roman d'amour du XXe siècle.

F. G. : C'est tout à fait l'idée que je me fais du personnage.

B.-H. L. : C'était bizarre le cas Cohen. Tout le monde le prenait pour Solal. Pour le glorieux, le solaire Solal. On venait le voir, en pèlerinage, comme pour découvrir le prototype du séducteur. La vérité oblige à dire qu'il était, certains jours, plus proche de Mangeclous que de Solal.

F. G. : Cela ne m'étonne pas.

B.-H. L. : Moi, oui. Cela m'a toujours sidéré. Mais je ne devrais pas vous dire cela. Car je

104

l'aimais, bien sûr. Malgré ses menus travers, je l'aimais et respectais infiniment. Tandis que vous...

F. G. : Si. Car c'est courant chez les écrivains. Tellement courant... Même si dans le cas de Cohen les identifications sont sans doute allées plus loin que pour d'autres. Je sais des femmes qui ont écrit à Solal, via Cohen, des lettres tendrement enflammées.

B.-H. L. : Je connais certaines de ces lettres. Je peux même dire que j'en ai lu. Car l'homme était, aussi, passablement indiscret. Il avait un coffre de bois ancien, avec les lettres dont vous parlez. Il les montrait, ma foi, volontiers. Surtout quand l'auteur était fameuse. Si elles savaient...

F. G. : Eh bien ! Vous voyez...

B.-H. L. : Il y a un autre aspect, cela dit, dans la jalousie. J'allais dire un autre mérite : c'est un extraordinaire instrument de connaissance. Il est tous radars dehors, le jaloux ! Tous systèmes de détection en batterie ! Son attention au monde est décuplée. Sa capacité de vigilance, dilatée. On n'est jamais si subtil, on ne voit ni n'entend jamais tant de choses que lorsqu'on est sous l'empire de cette subtile et féconde jalousie dont Proust faisait l'éloge. Tout lui est signe, au jaloux. Et comme tout lui est signe, il devient prodigieusement, monstrueusement intelligent.

F. G. : Ou complètement fou dans ses reconstructions de la réalité. La fécondité de la jalousie... Souvent elle accouche de crimes. Surtout, elle n'est jamais finie puisqu'elle se nourrit aussi bien de vétilles, au moins chez les grands jaloux. C'est pourquoi il faut les fuir au lieu de se laisser abuser par ce que la jalousie a de flatteur. Ne jamais aimer un grand jaloux, une grande jalouse si l'on ne veut pas subir une persécution quotidienne raffinée, c'est la première des recommandations que j'adresserais à quelqu'un, si les recommandations pouvaient servir à quelque chose.

B.-H. L. : L'inquisition. L'interrogatoire sans fin. Le soupçon. La curiosité jamais assouvie. La question cauteleuse faite pour endormir l'adversaire. Les pièges. Les ruses. L'indifférence feinte. «Allons! Tu peux y aller! Je suis d'humeur aimable, ce matin! Tu ne risques rien! Tu peux balancer! Je ne suis pas jaloux, du reste! Non, non, regarde-moi bien, est-ce que j'ai l'air jaloux? est-ce que je n'ai pas l'air absolument, souverainement serein?»

F. G. : C'est à peu près cela, oui.

B.-H. L. : Et puis la violence alors. L'imagination, d'abord. Au sens strict, l'imagination. Cette faculté diabolique de se fabriquer des images qui est la vertu — ou le vice — des grands jaloux. Et puis la violence. Le déchaînement de violence quand l'autre, abusé par votre ton si apaisant, commet l'erreur fatale de lâcher son petit aveu. Violence contre lui, donc. Mais, aussitôt après, contre soi. Cette haine de l'autre et de soi par quoi se soldent, en général, les scènes de jalousie. Je connais un jaloux. Il a pour habitude, dans ses grands moments de jalousie, de se taper la tête contre les murs, les portes, les arbres — n'importe quoi pourvu que ce soit dur, que cela fasse mal et que ce soit à portée, donc, de la tête. « Voilà ! dit-il à son amante quand il a la tête cabossée ou le front ensanglanté. C'est cela que tu voulais ? Hein, c'est cela ? » Et l'autre, pauvrette, de sangloter en prenant le mal qu'il se fait pour une punition qu'il lui inflige...

F. G. : Se taper la tête contre les murs, diable ! Même Proust n'a pas pensé à ça...

B.-H. L. : Non. Mais cette force que donne la jalousie, voilà une chose, en revanche, dont il était conscient. Il va jusqu'à dire, comme vous savez, qu'il n'y a pas de littérature sans jalousie.

F. G. : Parce qu'il n'y a pas de littérature sans amour, on y revient.

107

B.-H. L. : Oui. Et parce que la jalousie aiguise, je vous le répète, tous les systèmes de perception. Un philosophe dirait qu'elle produit de l'autre avec du même, du multiple avec du simple — elle donne un monde irrespirable mais, d'une certaine façon, plus coloré...

F. G. : L'étonnant dans la jalousie c'est sa pérennité. On a vraiment aimé un homme, une femme, on s'est séparés, on s'est perdus de vue, un jour on se rencontre, il ou elle a un geste tendre envers celle ou celui qui l'accompagne et on reçoit un coup de lance...

B.-H. L. : C'est moi, là, qui ne vous suis plus — ou qui ne sens pas les choses de la même façon... J'ai plutôt l'impression, au contraire, d'une chose qui vous quitte, qui disparaît avec l'amour. C'est normal, non ? La jalousie est le propre de l'amour. Donc elle s'en va quand l'amour s'en va aussi...

F. G. : Je crois, moi, qu'elle peut lui survivre longtemps. Au moins chez celui qui a continué d'aimer après l'autre et qui porte un amour mort...

B.-H. L. : Vaste débat, cette fois, chère Françoise. Est-ce qu'on continue d'aimer quand l'autre a cessé ?

F. G. : Les braises ne s'éteignent pas d'un coup. Ce serait trop commode...

B.-H. L. : Est-ce qu'on peut être seul à aimer ?

F. G. : Bien sûr, au moins pendant un temps.

B.-H. L. : C'est toujours la même chose : est-ce que l'amour n'est pas toujours plus ou moins réciproque ? Est-ce qu'il n'y a pas là une illusion dont il faut, au moins, qu'il se berce ?

F. G. : Vous plaisantez ?

B.-H. L. : Proust, évidemment, est très pessimiste. Il dit qu'il n'est jamais réciproque. Jamais. Et c'est même, vous vous en souvenez, la raison de sa dispute avec Berl.

F. G. : La fameuse scène, oui, racontée dans *Présence des morts* : le jeune Berl, rentré du front, qui vient rendre visite au Maître sur la recommandation de Madame Duclaux, et lui fait ses confidences amoureuses.

B.-H. L. : Proust écoute sa petite histoire. Il est ému, d'abord. Puis agacé. Puis franchement exaspéré. Et finit par chasser le pauvre Berl en lui jetant ses pantoufles à la figure.

F. G. : Berl trace à ce propos un magnifique

portrait de Proust, avec «sa tête de satrape aux aguets, ses lourdes joues blafardes».

B.-H. L. : Il a toujours pensé que c'est son «manque d'attrait pour l'homosexualité» qui constituait aux yeux de l'autre une «tare insurmontable». Alors que sa vraie tare, le vrai différend qui l'opposait à Proust, c'était sa croyance à la réciprocité des sentiments.

F. G. : L'histoire de « Sylvia »...

B.-H. L. : Eh bien, on n'est pas obligé d'être toujours d'accord avec Proust. Et sur ce point-ci, c'est vrai, je ne crois pas être d'accord.

F. G. : Disons qu'il y en a toujours un qui aime un peu plus que l'autre...

B.-H. L. : Mais il ne le sait pas toujours.

F. G. : Croyez-vous! En tout cas, face à la jalousie hommes et femmes sont égaux, également vulnérables, également ravagés, également égarés quelquefois. Et devant cette sale souffrance, il y a toujours un imbécile pompeux pour s'écrier: «Comment pouvez-vous souffrir à cause de cet homme, de cette femme, alors que des enfants meurent de faim au Sahel?» La jalousie, pas plus que son jumeau l'amour, n'est à la mode de nos jours. On se permet un mot, une phrase, une allusion. On crève en silence quand on est bien élevé. C'est tout ce que je voulais dire en commençant.

B.-H. L. : Et c'est tout ce que nous avons, vous et moi, démenti depuis une heure. Aurions-nous tant parlé, et sur ce ton, d'un sentiment démodé ?

F. G. : Ce n'est pas le sentiment qui est démodé. C'est encore une fois son expression qui est moins libre. Le sentiment, lui, ne disparaîtra jamais.

5

DE L'AMOUR COMME PARADIS
ET COMME ENFER

F. G. : Vous savez quoi ? J'ai rêvé qu'un jaloux me tenait éveillée la moitié de la nuit. Et je lui disais : « Mais je suis transparente ! Ma vie est transparente ! »

B.-H. L. : Et vous lui mentiez. Les rapports amoureux ne sont jamais transparents.

F. G. : Sans doute.

B.-H. L. : Les amants croient qu'ils s'entendent. Qu'ils se comprennent à demi-mot. Ils s'imaginent, les pauvres, qu'ils vivent une sorte de fusion bénie, d'harmonie. Alors que...

F. G. : Parce qu'ils cherchent la fusion, la complétude, la plénitude. Bien sûr, elle n'existe pas ou très brièvement, après un coup de foudre réciproque, en état d'implosion amoureuse. On devient très vite opaque à l'autre...

B.-H. L. : C'est cette fameuse histoire Berl-Proust dont nous parlions hier. Berl croit à la fusion des cœurs. A l'harmonie des désirs. Il a retrouvé Sylvia. Et il dit : « alléluia ! miracle ! nous sommes deux êtres qui nous aimons ! deux corps en harmonie ! la grâce de l'amour c'est qu'elle comble, instantanément, le fossé entre deux êtres ! » Alors Proust est furieux. Et, de rage, le met donc à la porte. Là, d'un seul coup, je suis de nouveau du côté de Proust. Définitivement du côté de Proust...

F. G. : Il y a tout de même l'illusion... Celle qu'avait Berl, celle qu'a eue sûrement Proust, fût-ce fugitivement, que l'amour est une voie d'accès à l'autre, alors qu'en vérité il vous reste, et on lui restera, éternellement inconnu. Pour le dire de façon un peu prétentieuse, il y a une infinie altérité du partenaire d'amour, même celui ou celle dont on s'est cru le plus proche et comme fondu avec lui en une seule personne, ce vieux rêve... Retrouver la fusion originelle...

B.-H. L. : Je ne sais plus qui disait : « aimer c'est ne faire qu'un — mais la question c'est *lequel* »...

F. G. : C'est drôle.

B.-H. L. : Je déteste, en réalité, ces histoires de fusion, d'unité primordiale et retrouvée.

F. G. : Il ne s'agit pas de savoir si on déteste ou pas. Ce rêve est au fond de chacun de nous et, en même temps, il est irréalisable...

B.-H. L. : Oui...

F. G. : Il y a, de surcroît, un malentendu fondamental dans les rapports amoureux : c'est que la femme cherche un individu et l'homme la féminité — le sexe — qui assure sa virilité...

B.-H. L. : Où prenez-vous que la femme cherche un individu et l'homme la féminité ?

F. G. : Où je le prends ? Dans ma profonde sagesse.

B.-H. L. : La mienne doit l'être moins, profonde. Mais j'ai l'impression de connaître des hommes qui ne détestent pas avoir une femme, un individu femme, en face d'eux. Et des tas de femmes à l'inverse... Bon. On ne va pas se donner le ridicule d'élire chacun notre champion et, bannière au vent...

F. G. : En effet. Mais je voudrais qu'on s'arrête, en revanche, à cette question de l'altérité du partenaire. Il ne faudrait pas qu'on soit trop noirs, non plus.

B.-H. L. : Non.

F. G. : Un couple où l'on s'entend, au vrai sens du terme, où chacun des deux entend l'Autre et où l'on s'accorde sur quelques terrains essentiels dont, bien entendu, le goût de faire l'amour ensemble, ça existe !

B.-H. L. : Certes.

F. G. : Et quelquefois, rarement mais quelquefois, ça perdure.

B.-H. L. : Sans doute.

F. G. : Nous sommes d'accord, donc, là-dessus ?

B.-H. L. : Bien entendu, nous sommes d'accord. Ce qui m'énerve, c'est cette histoire d'harmonie, de fusion primitive et perdue. Elle commence avec les Grecs. Elle infecte, de proche en proche, toute la littérature occidentale sur l'amour. Au point que, aujourd'hui encore...

F. G. : C'est une belle image, vous ne trouvez pas, celle de l'être séparé, divisé qui cherche son autre moitié. Ce n'est pas un hasard si elle a traversé les siècles depuis Platon. Et elle est aussi physique que sentimentale, davantage même.

B.-H. L. : Je ne la trouve pas belle, non. Ces gros organismes tout ronds qui ont un double sexe, ne font qu'un corps, et qu'une âme, et passent leur vie, ensuite, à courir après leur androgynat perdu, est-ce que ce n'est pas la chose la plus absurde qu'ait jamais écrite Platon ?

F. G. : Le corps peut hurler qu'il veut se fondre et s'unir et s'abîmer dans un autre corps. Georges Bataille auquel vous vous référez souvent et qui n'est pas suspect de romantisme faisait de la «fusion» le plus haut de son désir, l'illusion divine.

B.-H. L. : Il le dit dans un autre contexte, grâce au ciel. Et sans jamais nous raconter qu'en chacun de nous un androgyne sommeille !

F. G. : Robert Musil, lui aussi, parle très bien dans *L'homme sans qualités* de «ce désir d'un double de l'autre sexe qui nous ressemble absolument tout en étant un autre, d'une créature magique qui soit nous tout en possédant l'avantage d'une existence autonome»... Selon lui, les grandes, les implacables passions amoureuses sont toutes liées au fait qu'un être s'imagine voir son moi le plus secret l'épier derrière le rideau des yeux de l'autre...

B.-H. L. : Je ne dois pas avoir la même idée de la «grande passion amoureuse». Si j'avais à formuler la chose je dirais, à l'inverse : l'amour n'est jamais si grand que lorsque vous avez face à vous un autre que vous, un étranger à vous — le contraire de ce double complice, de cette image inversée, de ce reflet...

F. G. : Avez-vous déjà été frappé par un coup de foudre, Bernard? Happé par une passion? Il y a, dans le tout début d'une passion, quelque chose dont on garde toujours la nostalgie, et qui est, sans doute, cette illusion de fusion.

B.-H. L. : Non, justement. Ce qui frappe, dans le coup de foudre, c'est l'étrangeté de l'autre, au contraire. Sa vertigineuse étrangeté. Et c'est d'elle que, ensuite, on garde la nostalgie...

F. G. : Ah! pas du tout. Ce qui est vertigineux dans le coup de foudre, c'est l'impression de se retrouver, d'avoir été de toute éternité faits l'un pour l'autre.

B.-H. L. : Trop romantique... Vous êtes décidément trop romantique...

F. G. : « Romantique », je ne crois pas. C'est un sentiment très répandu que j'essaie de décrire là.

B.-H. L. : Je n'ai jamais eu le sentiment d'être « fait » pour qui que ce soit. La rencontre, en revanche, avec quelqu'un de radicalement différent, l'émoi face à cette différence, l'impression qu'elle est, comment dire ? proprement inimaginable et que le plaisir qu'elle vous procurera sera, donc, inépuisable — voilà, pour moi, le « coup de foudre ».

F. G. : Pensez-vous, avec le prince de Ligne, que ce qu'il y a de meilleur dans l'amour c'est le commencement et que c'est pourquoi il faut recommencer souvent ?

B.-H. L. : Si vous voulez. Mais à condition d'ajouter — variante qui vous surprendra peut-être — que ce qui n'est pas mal non plus c'est de recommencer, plusieurs fois, avec la même...

F. G. : Beau programme. J'y souscris. Mais alors, adieu l'étrangeté qui semble être le levier de tant d'hommes — et dont vous me parliez, vous-même, à l'instant ?

B.-H. L. : Non, pas forcément ! Puisque l'autre, vous dis-je, est étrange. Qu'il l'est *essentiellement*.

118

Et que l'on peut passer une vie, donc, à explorer son étrangeté.

F. G. : C'est un sophisme. Vous jouez sur les mots.

B.-H. L. : Non. Je ne pense pas. Il y a un autre plaisir, cela dit, que connaissent bien les amoureux et auquel me fait penser votre phrase du prince de Ligne : c'est celui — puisqu'il n'y a «rien de meilleur, dit-il, que le commencement» — d'évoquer, réévoquer sans fin le charme de ce commencement.

F. G. : Oui?

B.-H. L. : Ce visage mieux connu. Cette silhouette plus familière. Ce regard, ce sourire imperceptiblement — ou même, pourquoi pas? profondément — différents. Et la douceur qu'il y a, soudain, à fermer un instant les yeux, revenir dans le passé et essayer de ressaisir cet être à la fois même et autre qu'était la femme aimée à l'instant de la rencontre — lorsque rien n'était joué, qu'elle vous était étrangère et que vous ne saviez pas si elle serait ou non à vous...

F. G. : C'est un discours très féminin que vous tenez là... L'évocation des commencements, le goût de ressaisir le passé... La teinte de mélancolie... Ce sont les femmes qui ont l'amour mélancolique. « Je suis heureuse mais je suis triste », dit Mélisande. Les hommes amoureux et aimés ont au contraire des ailes... Ils veulent conquérir le monde. Qui a été plus amoureux que Bonaparte ?

B.-H. L. : J'essaie de voir un peu clair dans cette affaire d'« étrangeté ». L'étrangeté classique, d'accord. Celle, comme on dit, d'une nouvelle « conquête ». C'est-à-dire d'un corps rêvé, deviné, désiré — et qui, tout à coup, se découvre entre vos bras. Mais il y en a une autre, d'étrangeté, au moins aussi passionnante : c'est celle qui demeure jusques avec une femme qu'on connaît ou croit connaître.

F. G. : Oui.

B.-H. L. : Eh bien, c'est elle qui m'intéresse ici. C'est d'elle que je vous parlais. Et c'est à elle que je pensais quand je vous disais, tout à l'heure, que je ne croyais pas à cette affaire de fusion, d'androgynat, etc.

F. G. : J'ai bien compris.

B.-H. L. : On peut vivre dix ans, douze ans, avec une femme. Avoir le sentiment parfois, sur tel ou tel terrain, de se rapprocher extrêmement. Le moment arrive toujours où l'on découvre qu'elle est autre, irréductiblement autre. Est-ce qu'il faut le regretter? Se dire: «quel dommage! quel malentendu! quelle distance!»? Non, bien sûr. Au contraire! C'est la grâce de l'amour... Sa source intarissable... Il vit, se nourrit de ce genre de malentendus...

F. G. : Il s'en nourrit ou il en meurt... S'entendre, c'est justement les éliminer autant qu'il est possible, être transparent l'un à l'autre.

B.-H. L. : Mais non! Surtout non! Ce serait le plus sûr moyen, au contraire, de tout ficher par terre. Un couple d'où l'on a «éliminé» toute la part de malentendu, c'est un couple où l'on n'a, littéralement, plus rien à se dire. Vous disiez vous-même, d'ailleurs, qu'on n'est jamais transparent!

F. G. : C'est vrai. Et la part irréductible de mystère que l'on s'oppose fait bien sûr partie de l'amour. Quelquefois les découvertes sont effrayantes... Apparaît fugitivement un abîme, un gouffre, un visage inconnu terrifiant. Ainsi entre les amants qui se font des «scènes», ce que je hais plus que tout, et qui, dans la colère, dans la violence, disent des choses horribles...

B.-H. L. : Horribles ou pas, cela dépend. Ils peuvent aussi se dire de belles choses. Et montrer d'eux-mêmes un beau visage.

F. G. : Ce sont des moments terribles, voyons ! Où les êtres ne se ressemblent plus...

B.-H. L. : Il peut y avoir un vrai plaisir à voir l'autre hors de lui-même — dans cet état de transe ou de fureur.

F. G. : Plaisir bizarre...

B.-H. L. : Plaisir tout court.

F. G. : Suivi, parfois, c'est vrai, de belles réconciliations. Je connais des couples qui ne peuvent vivre que sur ce mode. Ceux-là sont peut-être ceux qui se connaissent le mieux l'un l'autre... Ils vivent en état de guerre et y trouvent leur jouissance, chacun s'évertuant à prendre le pouvoir sur l'autre.

B.-H. L. : Pourquoi « prendre le pouvoir » ? Il y a quelque chose de désespéré dans les « scènes »... Et, donc, de plus émouvant...

F. G. : Je ne vois pas quoi.

B.-H. L. : Si. Comme une forme exaspérée de malentendu. Un désir, fou, d'obliger l'autre à se révéler...

F. G. : Vous n'allez quand même pas faire l'éloge des « scènes » !

B.-H. L. : Pourquoi pas ? Les vrais amoureux savent que mieux vaut, parfois, une vraie scène qu'un faux bonheur. Solal, de nouveau. Il sent qu'Ariane va s'ennuyer. Et il se demande : « quelle scène vais-je pouvoir inventer ? »

F. G. : Sinistre !

B.-H. L. : Le plus sinistre, pardonnez-moi d'insister, c'est la chansonnette des pastoureaux : celle des corps à l'unisson, des âmes au diapason, celle de l'accord entre les chairs, de la fusion, de l'idylle. « Ma moitié », disent-ils — et je ne connais rien de plus obscène que le fait d'avoir une « moitié »...

F. G. : Ce sont les épiciers qui parlent de leur moitié. Quelle horreur ! Et ne faire qu'un, quelle illusion !

B.-H. L. : C'est bien pourquoi je préfère encore un amour qui assume cette idée de la guerre des corps et des corps en guerre. On évoquait le mythe grec, tout à l'heure. Ce mythe, que vous trouviez beau, du corps originairement indivis, retrouvant son unité. Mythe grec pour mythe grec, je vous en propose un autre : celui d'Eros, le dieu archer, décochant sa flèche mortelle. Ou un autre encore : celui d'Eros assaillant, faisant le siège de son aimée, triomphant de ses défenses, la contraignant à se rendre, l'investissant...

F. G. : Il y a une sérieuse nuance à ce que vous dites. Un couple, comme vous le savez, ce n'est pas un homme plus une femme, c'est une troisième personne qu'ils forment ensemble...

B.-H. L. : Je ne crois pas cela.

F. G. : C'est pourtant très sensible quand on les voit l'un ou l'autre, ou qu'on les rencontre ensemble. Georges Bataille encore : « deux êtres de sexe opposé se perdent l'un dans l'autre, forment ensemble un nouvel être différent de chacun d'eux. »

B.-H. L. : Je ne voudrais pas vous choquer. Mais je vous signale que Bataille songe là, de nouveau, à une situation très précise. Vos deux êtres forment un nouvel être — mais au lit !

F. G. : Bien entendu. Mais rien n'interdit de généraliser.

B.-H. L. : Vous croyez ? Je pense, moi, qu'on court de très grands risques quand on « généralise » ce qui se passe « là »...

F. G. : C'est pourtant la « vérité » de l'amour.

B.-H. L. : C'est sa situation limite.

F. G. : C'est là que les êtres se révèlent, qu'ils avouent leur vérité.

B.-H. L. : Ils sont méconnaissables au contraire. Tellement, tellement loin d'eux-mêmes...

F. G. : Toute la littérature érotique dit le contraire. Bataille, donc. Mais aussi Sade, dont c'est quand même la grande leçon.

B.-H. L. : Il y a une expérience toute simple que nous avons tous faite. Vous rencontrez une femme (ou, pour une femme, un homme) dans un dîner. Vous l'observez. Vous l'écoutez. Vous essayez, sous le masque mondain, de deviner l'autre visage : celui qu'elle aura tout à l'heure, nue, livrée à son désir et au vôtre. Eh bien, neuf fois sur dix, vous vous trompez. Vous êtes à côté.

F. G. : Je persiste à penser qu'un couple est un être en soi. Regardez vos amis. Vous les voyez tantôt seuls, tantôt à deux. Leur comportement, c'est évident, n'est pas le même.

B.-H. L. : C'est autre chose. C'est le côté Courteline des couples. Tout ce qu'on ne peut dire face à l'autre... Le visage qu'on se compose...

F. G. : Vous confondez la vie avec sa part de comédie. Un couple, que vous le vouliez ou non, forme un ensemble; et cet ensemble est un composé assez mystérieux, une étrange combinaison de molécules...

B.-H. L. : Bon. Admettons.

F. G. : Cela n'empêche pas, cela dit, que vous n'ayez en partie raison. Tout un vocabulaire de l'amour est guerrier. L'autre n'est-il pas une « conquête » ? Ne dit-on pas d'une femme : « celle-là je l'ai eue... » ? D'un homme : « celui-là je me le suis fait » ? Expressions affreuses d'ailleurs, mais que l'on entend dans le langage courant... Séduire, n'est-ce pas faire tomber une place forte ?

B.-H. L. : Il y a, si j'ai bonne mémoire, tout un chapitre là-dessus dans le livre de Rougemont. Attendez. Vous avez le livre là. C'est ça. L'amant fait le « siège » de sa future maîtresse. Il « réduit ses défenses ». La « tourne par surprise ». La « rend à merci ». Etc. Tout au long du chapitre, Rougemont nous dit que l'Occident a utilisé les mêmes mots — et, donc, le même imaginaire — pour décrire l'art de la guerre et celui de l'amour...

126

F. G. : Mais tout cela est compliqué, en même temps. Car il faut distinguer, n'est-ce pas? La conquête, d'un côté — qui est en soi un acte de guerre. Et ce qui se passe après : la vie commune ou, en tout cas, la vie partagée...

B.-H. L. : Oui? Je ne suis pas sûr... C'est l'autre théorie de Rougemont, je sais. Celle qui a fait tant de bruit, à l'époque. L'incompatibilité, selon lui, entre amour-passion et mariage...

F. G. : Là, dans la vie commune, Eros n'a plus sa place. Il a lancé ses flèches. Il a jeté ses troupes. Il s'agit maintenant d'apprendre à vivre autrement que dans le lyrisme et l'effusion des premiers instants.

B.-H. L. : Quelle tristesse!

F. G. : Laissez au moins cela aux amants, cette harmonie-là.

B.-H. L. : Ce que je trouve triste c'est cette idée des deux «phases» de l'amour : la «conquête», puis la «vie commune».

F. G. : Triste ou pas, c'est ainsi.

B.-H. L. : Prenez, une fois de plus, Baudelaire.

Ses rapports avec la Duval. Ce qui est beau, dans ces rapports, c'est qu'ils gardent jusqu'au bout la même violence.

F. G. : « Je suis la plaie et le couteau, la victime et le bourreau... »

B.-H. L. : Oui. On peut imaginer un homme et une femme qui, avec le temps, renoncent aux jeux du désir. Et là, bien sûr, s'ouvre une nouvelle époque — genre paix, harmonie, complicité et tout le tintouin. Mais qu'ils continuent de s'aimer, de se désirer — et perdure alors cette part de cruauté, ou de sauvagerie. On ne peut pas la nier, cette part-là.

F. G. : Non seulement il ne s'agit pas de la nier mais on peut la désirer, s'y engloutir. Simplement, dans ce cas, sauvagerie et cruauté sont doublement consenties. On n'est pas adversaires. On est complices. Vous croyez, vous, que ça doit grincer tout le temps, un couple ?

B.-H. L. : Qui parle de « grincer » ? Je trouve belle, voilà tout, l'idée d'un malentendu qui s'éternise...

F. G. : Entre la jalousie que vous jugez consubstantielle et la guerre que vous jugez souhaitable, ce serait l'enfer, l'amour...

B.-H. L. : Un enfer délicieux.

F. G. : Après tout, peut-être est-ce l'enfer. Mais avec quelques beaux moments de répit, des bouts de paradis...

B.-H. L. : Voilà.

F. G. : D'ailleurs, si ces moments n'existaient pas, quel couple résisterait à l'usure de la vie commune ?

B.-H. L. : Je n'ai jamais trop cru, non plus, à cette histoire d'usure par la vie commune. Mais bon. C'est une autre affaire.

F. G. : C'est le *cœur* de l'affaire.

B.-H. L. : Notre vrai désaccord c'est cette périodisation que vous faites. Au début, la guerre. Et puis, après, une seconde période qui serait vouée aux voluptés plus calmes. Regardez le cas de Laclos, ce guerrier parmi les guerriers. Vous savez le livre qu'il rêvait d'écrire à la fin de sa vie ?

F. G. : Je le sais, oui. Mais je ne vois pas le rapport.

B.-H. L. : Si. Vous avez là un roué, un pervers,

un expert en conquêtes et guerres amoureuses en tout genre, un tordu, un salaud, un homme qui par métier (général artilleur, je vous le rappelle) autant que par goût et tempérament (ah ! la merveilleuse existence de comploteur international, d'intrigant, qui fut la sienne) ne pouvait concevoir l'amour que comme une interminable manœuvre. Voilà que cet homme n'a qu'une idée en tête : donner aux *Liaisons dangereuses* une suite, qui s'appellerait « Les Liaisons heureuses » et qui serait une apologie de la famille, du couple et de leurs bonheurs simples...

F. G. : A mon tour je vous dirai : n'exagérons pas avec les « bonheurs simples »... Il n'y a jamais de bonheur simple entre un homme et une femme. Mais peut-être y a-t-il des époques de la vie où l'on y aspire, comme Laclos vieillissant, où l'ambition, le désir de pouvoir, des petites choses comme ça viennent se substituer au besoin d'amour vécu dans l'intensité de la passion.

B.-H. L. : Sauf, justement, que je ne suis pas sûr du tout qu'une chose se « substitue » à l'autre.

F. G. : Autrefois, c'était le moment où les hommes se mariaient, et fondaient une famille comme on disait... Ils se « rangeaient ». Mais nous avons changé tout cela... On se marie — quand on se marie — très jeune aujourd'hui et nullement dans la perspective, sinistre il faut bien le dire, de se « ranger »...

B.-H. L. : Pourquoi ne pas imaginer que l'on puisse vivre, ensemble, les deux états ? Jouer les deux rôles à la fois ? J'aime, moi, l'idée de mon Laclos fidèle *et* roué ; tendre *et* guerrier ; épris de sa Marie Soulanges, vieillissante elle aussi, à laquelle il confie son projet, si bizarre, de « Liaisons heureuses » — *et* continuant en même temps, sans la moindre contradiction, d'échafauder dans sa tête d'« artilleur » impénitent des dispositifs de séduction d'une sophistication infinie.

F. G. : Une chose est d'envisager de jouer un rôle, une autre de le jouer vraiment. Je n'imagine pas Laclos plus qu'un autre jouant simultanément le guerrier qui élabore des stratégies de séduction et l'amant épris de joies simples, goûtant les bons petits plats de Marie Soulanges et s'occupant de sa petite famille... Non, je crois vraiment qu'il y a un temps pour l'amour-passion et un autre pour l'amour tissé avec d'autres liens...

B.-H. L. : Comme c'est bizarre de voir les choses ainsi.

F. G. : Quitte à ce que, quand on croit s'être mis à l'abri, une nouvelle passion surgisse et emporte tout. Mais enfin ! On n'aime pas dans la passion

douze fois dans sa vie ! Deux fois, trois peut-être...
Au plus...

B.-H. L. : Désaccord absolu !

F. G. : Encore !

B.-H. L. : Bon, écoutez, il est tard ; et je vous
propose un compromis.

F. G. : C'est dangereux, les compromis !

B.-H. L. : Il y a deux grands modèles, au fond.
Le modèle idyllique d'abord. L'idée, en gros,
qu'on rejoint l'autre, qu'on se conjoint à lui, que
les deux corps n'en font plus qu'un et que les âmes
vont communier. C'est votre idée, n'est-ce pas ?
Avec, en bout de piste, ce moment où la fusion
s'est opérée et où les turbulences amoureuses sont,
de ce fait, apaisées.

F. G. : Si l'on veut.

B.-H. L. : Il y a l'autre modèle, ensuite. Le
modèle polémique. Guerrier. L'idée d'une guerre
— ou d'une conquête — qui n'ont pas de raison
de s'arrêter. C'est l'idée des « courtois ». Ce sera,
sous d'autres formes, celle de Baudelaire. C'est
une idée plus lucide, il me semble. Mais surtout
plus excitante. Moins plan-plan. Qui ne prend pas

son parti, comme l'autre, de cette espèce de chronologie sinistre : un temps pour la passion — puis un temps pour l'apaisement. Admettons, puisque vous ne voulez pas céder là-dessus, qu'il y a quelque chose d'un peu raide, ou radical, dans ce modèle...

F. G. : Je suis heureuse de vous l'entendre dire.

B.-H. L. : ... et qu'il repose, lui aussi, sur une sorte de postulat : un mur entre les amants, une frontière infranchissable et quasi sacrée...

F. G. : Si je ne savais pas que vous êtes normalien, je l'aurais deviné à la façon dont vous exposez votre thème... Mais pardon. Je vous ai interrompu.

B.-H. L. : On essaie de conclure — ou on n'essaie pas ?

F. G. : Essayons.

B.-H. L. : La question c'est : comment penser les relations d'un homme et d'une femme sans dire ni « il y a un mur entre eux et ce mur est impénétrable », ni « il n'y a rien entre eux, ils ne sont qu'apparemment séparés et c'est l'évidence de l'amour qui, enfin, les réunifiera » ?

F. G. : Voilà.

B.-H. L. : Eh bien, la réponse, c'est qu'il y a peut-être une troisième image. Et cette image, ce serait celle d'un écart, ou d'une distance, ou d'un espace, ou encore, et pour employer un mot bien laid mais qui dit ce qu'il veut dire, d'une sorte de «no man's land» que le désir devrait explorer. Cela change tout, il me semble. Car ça existe, un espace; ça a une teneur, une consistance; et ça résiste, par conséquent, à la naïveté du rêve fusionnel. Mais c'est labile en même temps; ça se traverse; ça se visite; c'est le lieu, par définition, de mille voyages ou aventures; et cela va contre l'image, si décourageante, du rideau de fer entre les cœurs. Entre mon amante et moi, il n'y a ni un mur ni un vide. Ni l'éternel malentendu ni la fusion obscène avec sa «moitié». Il y a, comme dit Daniel Sibony, un entre-deux. Et c'est l'infini de cet entre-deux qui rend mon désir lui-même infini.

F. G. : Je récuse le mot obscène pour qualifier l'irréalisable fusion mais, pour le reste, j'aime bien cette idée d'espace où l'on peut se mouvoir, voyager, quelquefois fugitivement, se rejoindre, et où le désir se régénère. Quant à savoir pourquoi, un jour, il n'existe plus... Ce sera l'objet d'une autre conversation!

B.-H. L. : Elle permet en tout cas, cette idée, de préserver l'altérité de l'autre sans pour autant l'y enfermer. L'autre est autre. Il l'est à l'infini. Jamais je ne violerai, ni même ne pénétrerai, les murs de son identité. Mais il les entame, lui, parfois. S'évade pour un instant. Et, sans me rejoindre, s'approche de moi.

F. G. : Cela est fort bien dit. Je ne voudrais pas le répéter autrement puisque vous concédez que dans la volupté, au moins, on se rencontre. On fracasse le mur avant de retourner, chacun, dans son altérité...

B.-H. L. : Elle, c'est elle. Moi, c'est moi. Mais il y a ces instants où nous sommes, elle et moi, dans cet entre-deux du plaisir qui n'est ni sa demeure ni la mienne, et où nous nous frôlons. Je ne voudrais pas entrer dans les détails. Mais n'est-ce pas cela, la volupté? est-ce que ce n'est pas très précisément dans ces moments que le plaisir érotique devient le plus intense?

F. G. : J'aimerais revenir en arrière. Vous avez effleuré la thèse fameuse de Rougemont sur l'incompatibilité entre la passion et le mariage, l'amour conjugal. Vous soutenez cette thèse ou vous la combattez?

B.-H. L. : Non, non, je la combats. Je ne suis

même pas sûr, d'ailleurs, que Rougemont lui-même... Que dit-il, au juste, Rougemont? Est-ce qu'il n'y a pas une réédition du livre avec une nouvelle préface où il dit qu'on l'a mal compris et qu'il n'a pas écrit tout à fait ça? Je ne sais plus tout à coup.

F. G. : Non, il ne s'est pas renié. En bref, si je l'ai bien lu — il y a longtemps — il dit que la passion est toujours tragique, que passion veut dire souffrance, chose subie, prépondérance du destin sur la personne libre et responsable. Que c'est aimer l'amour plus que l'objet de l'amour. Il élabore à partir de Tristan, l'archétype... Et il observe que l'amour-passion représente la condamnation radicale du mariage, parce que leurs origines et leurs finalités s'excluent. Il dit : « l'amour tel qu'on l'imagine aujourd'hui, c'est-à-dire la passion, est la négation pure et simple du mariage que l'on prétend fonder sur lui. » Et il ajoute : « ce n'est pas le divorce qui est devenu trop facile ; c'est le mariage en acceptant que l'amour suffise pour le conclure au mépris des convenances du milieu, d'éducation, de fortune... » Je résume évidemment.

B.-H. L. : Pour être franc, je n'ai pas de position bien arrêtée sur le mariage. Je ne suis pas fanatiquement pour. Je ne suis pas fanatiquement contre. Il faut qu'on en parle, vous croyez? Il faut une position?

F. G. : Il ne faut rien du tout. Mais on ne peut pas l'écarter d'une main négligente quand on prétend parler des relations entre hommes et femmes. C'est essentiel.

B.-H. L. : Bon. Si c'est essentiel... On en parlera demain.

6

DE L'ÉROTISME
COMME INGRÉDIENT DU MARIAGE

B.-H. L. : Le mariage, donc. A tout prendre, et ne fût-ce que par esprit de contradiction, je défendrais bien le mariage. Les discours contre sont si convenus. Si médiocres, dans leur convenance...

F. G. : Et moi, je ne le défendrai pas. Sauf dans une situation bien précise : quand on se marie pour avoir des enfants, pour fonder une famille, quand la finalité du mariage est là. Sinon, ce qui me fait horreur dans le mariage c'est la cohabitation... La salle de bains commune... Le laisser-aller dont on est témoin... Le frottement à propos de mille petites choses... L'autre qui n'en finit pas de téléphoner, son désordre, que sais-je... Moi, je veux ou plutôt j'ai voulu préserver jalousement des plages de solitude, l'illusion au moins de l'indépendance que donne le fait de ne pas se retrouver automatiquement tous les soirs, mais d'avoir rendez-vous... J'ai voulu que chaque soir

138

soit un nouveau rendez-vous... Je crois que, si on le peut matériellement, il faut résister de toutes ses forces à la tentation de la cohabitation.

B.-H. L. : Vous n'allez quand même pas me dire que vous n'avez jamais...

F. G. : Vécu avec un homme? Si, bien sûr. J'ai été mariée pendant dix ans. Mais les autres, tous les autres, je m'en suis toujours défendue... Même s'ils ont eu quelquefois de la peine à comprendre ma résistance.

B.-H. L. : Moi, je ne me souviens pas d'avoir jamais vécu seul. J'ai vécu dans des maisons, des hôtels, d'autres maisons, d'autres hôtels lorsque j'étais entre deux maisons. J'ai vécu à Paris. Loin de Paris. Le sort (bon ou mauvais, on verra bien un jour...) m'a fait expérimenter, autrement dit, les mille et une façons de «partager» l'existence d'une femme. Et excusez-moi de vous dire que jamais... non, non, je crois, jamais... je n'ai senti les choses comme vous dites : ce poids de la vie commune, ce «frottement» des mille petites choses, ces problèmes de brosse à dents, salle de bains, voilà qui, si loin que je remonte (jusques et y compris, donc, dans les périodes un peu «nomades», ou «pauvres», où la cohabitation devait se faire dans deux pièces et trente mètres carrés), ne m'a jamais réellement perturbé...

F. G. : La salle de bains, c'est un détail. Mais l'impression d'être collés l'un à l'autre, ça ne l'est pas. Moi, j'ai besoin de respirer. Et quand on m'a enchaînée trop court, j'ai cassé la chaîne. Il s'agissait pourtant d'un mari très bien élevé qui n'y mettait aucune ostentation. Simplement, le mariage, c'est ainsi : on ne se quitte pas. Je conçois que l'on aime ça, mais j'y suis réfractaire. Alors, que dire si j'avais dû habiter, comme tant de gens aujourd'hui, dans un tiroir... Mais je connais des couples qui vivent très bien cette intimité permanente, cette dépendance sans faille ou même un dîner pris l'un sans l'autre devient un événement. C'est moi qui dois être bizarre...

B.-H. L. : Non, vous n'êtes pas bizarre. Au risque de vous choquer j'ai plutôt l'impression, au contraire, que l'air du temps est sur votre ligne. Il y eut une époque, c'est vrai, où le mariage était la norme. Et ceux qui fustigeaient l'esprit bourgeois, ses prudences, ses prévoyances faisaient la guerre au mariage. C'était l'institution médiocre par excellence. La pire des conventions. C'était l'incarnation de ce qu'il y avait de pire dans la « mentalité bourgeoise ». Aujourd'hui c'est quoi, la mentalité bourgeoise ? C'est toujours la même prudence. Le même côté frileux. C'est la même circonspection, bien sage, de ceux qui mesurent gestes, paroles et engagements. Sauf que ladite

140

circonspection a brusquement changé de camp et qu'elle pourrait bien devenir l'apanage de ceux qui disent : prudence, indépendance, vigilance, chacun dans son trou et dans son nid...

F. G. : L'air du temps... Il y a longtemps que ce n'est plus le mien et je ne m'en soucie guère. Je ne vois pas bien ce qu'il y a de frileux dans le fait de prendre le cas échéant le mariage au sérieux.

B.-H. L. : C'est ce que je vous dis...

F. G. : C'est sérieux. On blesse et on se blesse toujours en divorçant, d'une autre blessure que la simple rupture.

B.-H. L. : Je vous dis que c'est mon avis. Mais cela ne m'empêche pas de penser — au contraire — qu'il y a, dans l'actuelle vulgate antimariage, un côté, «oh! là! là! que de risques! pourquoi prendre tous ces risques?», qui n'est pas bien sympathique.

F. G. : Je suppose que ma répugnance à la cohabitation a une tout autre origine. Elle vient sans doute du fait que mon père est mort alors que j'étais toute petite... Je n'ai jamais connu d'homme à la maison... La place que prend l'homme, les égards qu'on a — ou qu'on n'a pas — pour lui, le visage pas rasé et le pyjama fripé au petit déjeuner, les «n'oublie pas de me laisser de l'argent...» et les «ne faites pas tant de bruit, les enfants, papa est fatigué, ou travaille...», les «mais où est ma chemise blanche, pourquoi n'est-elle pas repassée, mais non, pas celle-là!»... Un homme, pour moi, a toujours été la fête, pas la routine à la maison. Alors, je ne veux pas qu'on m'abîme ma fête...

B.-H. L. : Confidence pour confidence, vous m'avez demandé l'autre jour (c'était même, si j'ai bonne mémoire, le premier jour, votre première question) si j'aimais les femmes.

F. G. : Oui. Et je m'interroge encore.

B.-H. L. : Je ne sais plus ce que je vous ai dit. J'ai dû vous faire une réponse maladroite, embarrassée, C'est toujours embêtant, n'est-ce pas, de dire comme ça : «j'aime les femmes»...

F. G. : C'est, exactement, ce que vous m'avez répondu.

B.-H. L. : Eh bien, ma vraie réponse, la voici. Je les aime, oui. Je les aime infiniment. Et c'est parce que je les aime infiniment, que je n'ai jamais pu vivre autrement que dans leur extrême proximité. Vous me parlez vie quotidienne. Petites misères de la vie quotidienne. Bon. Mais cela, aussi, me plaît! Parfois, même, cela me boule-

142

verse! Une femme dans son bain... Une femme qui s'habille... Une femme qui se maquille... Depuis que je suis enfant l'idée d'une femme en train de se maquiller est une idée qui me trouble... Sans parler du reste... De tout le reste... Jusques et y compris l'intimité la plus obscure — celle qu'«elle» fait tout pour vous cacher et que, néanmoins, vous soupçonnez.

F. G. : C'est une jolie idée...

B.-H. L. : Ce n'est pas une idée.

F. G. : Là, je vous suis absolument. Si j'étais un homme, je serais captivée par l'intimité d'une femme, par un parfum, une façon de relever ses cheveux, sa lingerie, et même ce que vous appelez l'intimité la plus obscure... Mais précisément, un homme n'est pas une femme. Et rien, à mes yeux du moins, n'est comparable quand il s'agit de l'intimité d'un homme. Un homme qui se rase, ce n'est pas dégoûtant, mais ce n'est pas non plus hautement troublant, ou esthétique. S'il est très beau, à la rigueur, sous la douche... Et encore... Un homme nu, c'est facilement ridicule, quand il n'est pas dans toute la gloire de sa virilité. Non, vraiment, ce n'est pas la même chose. Je crois que j'aime les hommes comme vous aimez les femmes. Souvent ils me touchent par quelque chose de désarmé, de vulnérable qui est comme le contrepoint de ce qu'ils ont de force en face de moi, mais je n'aime pas qu'ils sentent le cigare. Même si je le supporte vaillamment par respect pour leur liberté.

B.-H. L. : Là, chère Françoise, rien à dire. Sinon que je vis, moi, dans l'idée qu'il y a un érotisme propre à ce que nous appelons la vie quotidienne. Mais peut-être ai-je tort, après tout... Peut-être est-ce une idée d'homme...

F. G. : Je crois que c'est surtout affaire personnelle. En parler nous a d'ailleurs conduits à nous dévoiler plus que nous n'aimons le faire, vous et moi. Mais bon... C'est le jeu de la conversation.

B.-H. L. : Oui. Avec une idée de fond, tout de même. Je ne le dis pas pour «excuser» l'excès de confidence. Mais il y a quand même, derrière ce que nous disons, deux idées de l'érotisme. Enfin, il me semble...

F. G. : Que voulez-vous dire?

B.-H. L. : Pour moi l'érotisme c'est toujours un jeu, subtil, entre l'invisible et le visible... Le voilement et le dévoilement... La réserve la plus extrême et la nudité soudaine... C'est la pudeur, la réserve, la mise en scène, tout ce que vous voudrez — et puis, là, sans crier gare, l'impudeur, l'obscénité...

F. G. : Barthes encore : « L'endroit le plus érotique du corps est celui où le vêtement bâille. C'est l'intermittence qui est érotique. Celle de la peau qui scintille entre deux pièces, entre deux bords. »

B.-H. L. : Voilà. Eh bien je n'ai pas trop confiance, à cet égard, dans vos « soirées qui sont chaque fois un rendez-vous ». Trop apprêtées, à mon goût. Trop aisément mises en scène. Pas assez de place pour le reste : ratés, lapsus, intrusions inopinées du corps et de la matérialité du désir. Alors que la vie quotidienne... La « cohabitation », comme vous dites... Ce qu'il y a de bien avec la cohabitation, c'est qu'« elle » va continuer de jouer, bien sûr. Elle va continuer de mettre en scène. Elle va faire tous les efforts du monde pour me convaincre — se convaincre ? — que, hormis les moments de transport, extase, débordement, le corps est un leurre et la physiologie une illusion. Elle va ruser, autrement dit. Déployer manœuvres et manigances. Elle va me jouer (je vais lui jouer...) toute une pauvre comédie destinée à me faire croire qu'elle est un pur esprit. Jusqu'au moment — et je trouve ce moment toujours très bouleversant — où un mot, un détail, un soupir de l'âme ou du corps, un geste entrevu, une attitude esquissée, suffiront à la trahir et à révéler à son amant (qui est aussi, pour le coup, son conjoint) que le corps est toujours là et que la nature, quand on la nie, se venge... Je reste, là aussi, très «bataillien». L'érotisme c'est le maximum de comédie, de rituel. Avec — pas toujours programmés — des retours d'obscénité...

F. G. : Je ne vois pas qu'il y ait deux idées contradictoires de l'érotisme dans ce que nous disons. «Rendez-vous tous les soirs» signifie : «aucun de nous n'a le droit de se déclarer sûr, de se sentir propriétaire de l'autre, assuré qu'il sera là *automatiquement* demain soir au prétexte que nous sommes mariés.» Il faut chaque jour renouveler le pacte. Mais il n'y a pas d'heure pour l'érotisme... «Ni vu ni connu le temps d'un sein nu», cela vaut à toute heure... Ne pas cohabiter ne signifie pas qu'on se prive de longues heures passées ensemble, quelquefois parce qu'on travaille ensemble et qu'alors se produisent ces intrusions fulgurantes de ce que vous appelez des retours d'obscénité...

B.-H. L. : Je ne vous fais pas l'éloge du couple «assuré tous risques»... Ni de la présence «automatique»... Je fais l'éloge de la vie quotidienne. Je crois qu'il y a un éloge, érotique, à faire de la vie quotidienne.

F. G. : Soit. Mais reste, dans ce cas, le problème

146

du mariage. Je ne vois pas comment vous pouvez continuer d'être «pour» le mariage...

B.-H. L. : Je ne vois pourquoi je serais contre...

F. G. : Parce que, pardonnez-moi, vous en avez raté deux.

B.-H. L. : Je n'ai certainement pas le sentiment d'avoir «raté» quoi que ce soit.

F. G. : Bon.

B.-H. L. : Et puis c'est l'histoire de Clavel, vous savez. Il avait un vieux compagnon qui s'appelait Charles Verny et qu'il avait cessé de voir du jour au lendemain. Une amie commune — Françoise Verny — intervient. «Charles est triste, il ne comprend pas pourquoi tu es fâché.» Clavel : «Charles a divorcé; je suis catholique; je ne peux pas rester ami avec un homme divorcé.» L'amie commune : «mais enfin, tu te moques de moi? tu as toi-même divorcé trois fois! et c'est pas toi qui vas jouer les professeurs de vertu?» Clavel, alors, superbe : «oui, mais attention! mon cas n'a rien à voir! je ne suis devenu catholique, moi, qu'à la troisième, et au dernier divorce...»

F. G. : Eh bien, toutes mes félicitations — anticipées — pour votre troisième mariage.

147

B.-H. L. : La question n'est pas là. Je ne suis pas catholique, moi, ni près de le devenir. Mais le discours célibataire, l'idéologie célibataire m'agacent chez les hommes. On parlait de Huysmans, l'autre jour. Je ne sais plus si c'est vous ou moi qui parlions de Huysmans...

F. G. : C'est vous. Son Des Esseintes, c'est un fameux personnage. Mais vous avez raison. Le célibataire idéologique a toujours quelque chose de ricanant en même temps que de sot. Simplement, le mariage s'est fondé pendant longtemps sur des valeurs — contraintes sociales, contraintes religieuses, «crime» de l'adultère — qui n'existent quasiment plus. Nous sommes donc au moment où l'on peut se dire : «Mais en somme, c'est pour quoi faire?» Libre à chacun de répondre pour lui.

B.-H. L. : Il n'y a pas que Des Esseintes... Ni même seulement Huysmans... Toute une bande de gens se sont fait une doctrine de cette critique du mariage... C'est Balzac, évidemment. Mais aussi les Goncourt. Et Flaubert. Et même Zola. Avec entre ces gens — ou, au moins, certains d'entre eux — tout un côté à la fois grivois, gaulois, et une conception fort étriquée de ce qu'ils appellent la «vie de garçon». C'est l'époque des dîners Magny. C'est l'époque où on se pose — si possible en société — cette grave et profonde question : l'artiste peut-il se marier ? en a-t-il le droit ? ne perd-il pas, ce faisant, son énergie créatrice, sa substance ? Vous me direz qu'il y avait dans tout cela une réaction plutôt saine au modèle dominant de l'époque qui était le modèle conjugaliste. D'accord. Mais aujourd'hui, on n'en est plus là. Le conjugalisme est bien battu en brèche, le pauvre. Et le discours célibataire, lui, est, en revanche, toujours bien vivant — avec ses parfums rances, ses médiocrités, ses manies...

F. G. : Balzac et les autres, les plaisanteries sur l'adultère et le ménage à trois, c'est vraiment d'un autre siècle... Ça va avec le coureur de dot... Je ne vois pas l'intérêt de s'y attarder. Est-ce que le discours célibataire est encore vivant aujourd'hui ? Probablement, puisque vous le dites. Je n'en ai jamais recueilli l'écho. Pas plus que chez les jeunes femmes, en tout cas, héritières de Mai 68, qui renâclent devant l'engagement matrimonial. Et je connais surtout des hommes non mariés, vivant comme on dit en concubinage, qui se sont retrouvés un jour dépossédés de leur enfant par leur compagne et désespérés de l'être... Ceux-là font en effet des célibataires haineux.

B.-H. L. : « Les jeunes femmes qui renâclent devant l'engagement matrimonial » — vous êtes sûre ?

149

F. G. : Pas toutes, assurément. Mais celles qui ont un métier, qui ont eu déjà une ou deux aventures plus ou moins heureuses, et qui n'ont pas le mariage pour objectif comme on a un lapin dans son viseur. Savez-vous combien d'enfants sont nés hors mariage en 1990 ? 230 000. Cela vous donne une idée du nombre de couples délibérément illégitimes...

B.-H. L. : C'est comme pour l'histoire de libération sexuelle, l'autre jour... Nous ne devons décidément pas connaître les mêmes femmes. Toutes celles que je rencontre, toutes celles que je croise ou ai croisées, me semblent assez mariage... Comme un lapin dans un viseur, je ne sais pas. Mais pensant au mariage, rêvant au mariage, rêvant à ce qu'il peut signifier de projet — d'illusion ? — d'éternité, ça oui.

F. G. : Rien de plus normal. Je dis seulement que le mariage n'est plus l'unique objectif, l'unique préoccupation, l'unique ambition de la vie d'une fille comme ce fut si longtemps le cas. Cela me paraît une évidence.

B.-H. L. : Je me demande si, en réalité, on ne tourne pas depuis tout à l'heure autour de la même question.

F. G. : Laquelle ?

B.-H. L. : Quel est l'argument, au fond, des gens qui se méfient du mariage ? Vous me parliez de Rougemont en commençant. L'idée que les finalités s'excluent... Que l'amour, c'est la passion et que le mariage exclut la passion...

F. G. : Non. Dans le langage de Rougemont, la passion, ce n'est pas l'amour justement. C'en est une version, fatale en quelque sorte, qui fascine alors que l'amour heureux a mauvaise réputation.

B.-H. L. : C'est un argument vieux comme le monde. Vous me dites qu'on n'est plus au XIXe siècle. Bon. N'empêche que c'est très exactement le discours du XIXe siècle. On est pour le mariage pour des raisons sociales et, à la limite, presque sanitaires. C'est le mariage « propre ». Le mariage « prophylactique ». Le mariage qui vous évite de sombrer dans la fange, les filles, etc. Mais, à côté de cela, on le méprise. On le dévalue tant qu'on peut. C'est la fausse et vilaine vie — à laquelle vous arrache l'orage de la passion...

F. G. : Mais qu'est-ce que vous me racontez là !

B.-H. L. : Disons la chose encore autrement... L'idée c'est que la passion n'a qu'un temps... Qu'elle s'use... Se fatigue... Et qu'elle est incompatible, donc, avec la durée du mariage... Eh bien je pensais vous l'avoir dit... Non ? Oui ? Je ne crois

151

pas, moi, à cette idée... Je ne crois pas à une fatalité qui fait que la passion s'use...

F. G. : Disons, si vous préférez, qu'elle s'éteint. Et parfois brutalement. Vous me reprochiez d'être «romantique», hier ; vous n'allez tout de même pas me raconter, maintenant, qu'une grande passion est éternelle ! Dans les mythes, c'est la mort qui règle le problème. Imagine-t-on Tristan vieillissant auprès d'Yseut après lui avoir fait trois enfants ?

B.-H. L. : Pourquoi pas ?

F. G. : Dans la vie, c'est le mouvement même de la vie qui épuise le désir et en fait naître un autre, pour un autre objet d'amour... Ce sont les mots qui manquent pour dire ce qu'exprime très bien Rougemont : il y a un amour, qui n'est pas fait de passion mais d'inclination, de goûts et d'intérêts communs au sens le plus large, de tendresse lucide, de fidélité même si elle coûte quelquefois, un amour qui peut aller s'approfondissant et non pas déclinant, et qui n'a pas de nom. Et c'est sur cet amour-là, réfléchi, non sur la passion, qu'on peut fonder avec succès un mariage. J'observe d'ailleurs que les jeunes gens d'aujourd'hui l'ont compris. Beaucoup d'entre eux en tout cas. Ils ne se marient pas, pas tout de suite, ils vivent ensemble quelquefois plusieurs années avant de s'engager. C'est devenu possible parce que les filles n'ont plus la rage du mariage, l'ancienne peur d'être «laissées pour compte»... Et c'est un fameux changement.

B.-H. L. : Je ne suis pas romantique. Enfin : j'essaie de ne pas l'être. Et j'ai connu, près de moi, assez de liens qui se sont défaits, pour être très, très prudent. Mais je ne dis pas, en effet, qu'ils «s'usent». Ni, du reste, que les passions «s'éteignent». Non pas seulement que ces mots soient laids (encore que cela compte, n'est-ce pas, la laideur d'un mot?). Mais c'est l'idée même que je récuse. Car dans les deux cas l'idée est la même. Tantôt vous dites que la passion «s'éteint» — et vous la concevez comme une sorte de flamme, ou de chandelle, à combustion forcément limitée. Tantôt vous dites qu'elle «s'use» — et elle est comme une vieille corde sur laquelle on tirerait jusqu'à ce qu'elle veuille bien rompre. Le point commun, c'est que vous la voyez, votre passion, comme une sorte de masse, ou de stock, avec tout ce que ces mots peuvent avoir de réducteur. Il y a une réserve d'amour. On tire dessus. On tire encore. Un beau matin, il n'y en a plus. On a épuisé la passion, comme on vide un compte en banque. Eh bien, je ne crois pas à cela... Je ne crois pas, mais alors pas du tout, que ce soit ainsi que les choses se passent...

F. G. : Je n'imagine pas la passion comme un «stock» qui irait s'épuisant, ou comme une flamme qui irait se réduisant. Eteint : le mot est mauvais, vous avez raison, bien que ce soit celui de Proust. Je n'en trouve pas de meilleur pour dire qu'un jour ça craque, voilà, ça se dissipe, ça s'évanouit, que sais-je ? C'était là, ce n'y est plus.

B.-H. L. : La question c'est : pourquoi ? oui, pourquoi est-ce que c'était là et que cela n'y est plus ? pourquoi est-ce qu'on cesse d'aimer ? pourquoi le lien se défait-il ? Les gens disent : «c'est inévitable.» Vous dites vous-même : «la passion n'est pas éternelle.» Et si vous êtes si certaine que la passion ne peut pas durer, c'est que vous croyez quand même à ces histoires d'usure et de lassitude. Moi, je n'y crois pas. Je sais bien qu'on rompt, qu'on se sépare. Mais je ne pense pas que ce soit parce qu'on «se lasse» de l'autre...

F. G. : Non. Encore une fois je ne crois pas à la «lassitude» quand passion il y a. Et si je dis qu'il n'y a pas de passion éternelle, qu'un jour on se réveille en quelque sorte, ce n'est pas en vertu d'une théorie. C'est une banale observation. Elle n'est pas recevable, je sais, quand on est soi-même en proie à une passion. On peut tout imaginer sauf qu'un jour elle cesse d'habiter votre cœur et vos sens. C'est proprement inimaginable. Et pourtant, un jour, c'est fini. Et quand c'est fini pour une femme, quand c'est elle qui rompt, elle devient aisément implacable. Les hommes se dégagent plus... poliment, plus mollement, me semble-t-il, il arrive même qu'ils aient des remords, mais peut-être pas... Mais vous avez l'air de savoir pourquoi, un jour, c'est fini. Dites-le-moi, je ne le sais pas...

B.-H. L. : Moi non plus, je ne « sais » pas. Qui peut se targuer de « savoir » ? J'ai des observations... De simples observations... J'ai eu des récits, également... Des confidences... J'ai écrit un roman, vous savez, dont le narrateur était souvent une femme... Alors j'ai fait une enquête... Tout cela reposait sur une enquête.

F. G. : Je ne vous connaissais pas ce côté Paul Bourget... Pardon, je vous taquine.

B.-H. L. : Ce n'est pas si mal, Marie Bourget... Pas si mal... Grand lecteur de Stendhal... Inspirateur de Proust qui prend, dans une de ses dix « études de femmes », quelques traits de son Odette... On le réhabilitera un jour, vous verrez.

F. G. : Soit.

B.-H. L. : Cela dit, de quoi parlons-nous ? La question clef, n'est-ce pas, c'est la question sexuelle ? C'est bien à elle que l'on pense quand on parle de cette usure et lassitude ?

F. G. : Ah! c'est plus compliqué. Des couples qui « fonctionnent » encore très bien de ce côté-là, si j'ose employer ce terme, entrent cependant en désamour, l'un ou l'autre, ou les deux. Généralement l'un avant l'autre. Et le désamour, c'est aussi impérieux que la passion. Brusquement, on voit que ce grain de beauté était une verrue.

B.-H. L. : Si vous voulez. Mais c'est de « cela » qu'il est quand même question. Les gens disent « on ne s'entend plus ; ça ne marche plus ; ce n'est plus la passion des débuts ». Ce qu'ils disent en réalité c'est, la plupart du temps : « on ne se désire plus ; nos corps n'ont plus cette attirance, ce désir merveilleux l'un de l'autre. »

F. G. : Ce peut être cela aussi, l'extinction du désir. Ça s'entretient, le désir, mais enfin elle survient plus ou moins vite. Tout de même, je ne réduirais pas le désamour à ce phénomène... comment dire... mécanique...

B.-H. L. : On peut dire les choses comme on veut. La réalité est bien là. Les jours passent. Les semaines. Chaque jour, chaque semaine qui arrive, épaississent encore un peu plus l'invisible frontière qui sépare maintenant les deux corps. Chaque jour, chaque semaine, rendent un peu plus tragique, et angoissante, l'impasse où ils se sont engagés. Et ils doivent, les malheureux, se rendre à l'évidence : rien n'a changé, et tout a changé ; ils ne sont pas ennemis, mais étrangers ; ils n'ont, vu de l'extérieur, rien qui signale leur nouvel état, mais ils savent, eux, le secret terrible — ils savent la misère qui est devenue leur lot. En général, ce sont les femmes qui craquent. En un premier temps, elles ne disent rien. Elles encaissent. Se résignent. Elles acceptent, plus exactement — quand elles ne participent pas, les pauvres, et activement ! à son élaboration — la version rassurante qui leur est donnée de la situation. Il y a des choses là-dessus dans la littérature. Il y en a chez Balzac. Il y en a, dans un autre genre, chez Courteline. C'est la comédie du mal de tête. La fatigue, persistante. Les corps qui s'assoupissent, ou feignent de s'assoupir, dès qu'ils se retrouvent l'un près de l'autre. Ce sont les mille et une explications, misérables, auxquelles elles feignent d'adhérer jusqu'au jour où elles disent : « c'est assez ; la mystification a assez duré. » Ce jour-là, elles se révoltent. En silence, le plus souvent — mais enfin elles se révoltent. Elles prennent un amant, alors. Et, à l'amant, elles balancent tout.

F. G. : Nous voilà loin de la passion. Vous me parlez là du désir qui accompagne plus ou moins toutes les unions, en tout cas du côté des hommes... Eh bien, oui, il s'use, vous ne vouliez pas en convenir tout à l'heure. Et rien n'est plus triste que de faire comme s'il n'était pas exténué.

157

De se dire, selon le mot terrible d'Albert Cohen :
« l'amour est tiré, il faut le boire. » Il faut rompre.
Rompre d'urgence. Ou alors, si d'autre part on
s'entend très bien, si on aime vivre ensemble, si on
a tissé des liens très forts, on commence à avoir,
chacun de son côté, des amours contingentes...
C'est un autre modèle. Il est relativement courant.

B.-H. L. : Attendez. On y vient, à la rupture !
Et aux amours contingentes ! La question, pour
l'instant, c'est : que se passe-t-il quand les gens
cessent de s'aimer et se séparent — que se passe-
t-il quand ils cessent de se désirer ? Si je raconte
tout cela, c'est pour vous dire deux choses. La
première, c'est que le temps, en soi, n'y est pour
rien. Il n'a rien, en tant que tel, de particulièrement contraire à la perpétuation du désir. Ce ne
sont pas les corps qui se fatiguent. Ni qui s'accou-
tument l'un à l'autre. Ce n'est pas que, à force, ils
perdent leur mystère, leur secret. Non. Ce n'est
pas cela. Ce ne peut pas être cela puisque nous
sommes d'accord, n'est-ce pas, sur l'idée que le
désir est une machine à explorer notre fameux
espace intermédiaire ? que cet espace est infini ? et
que ledit désir, par conséquent, ne peut être lui-
même qu'infini ?

F. G. : Alors, qu'est-ce que c'est ?

B.-H. L. : Désir, infini, on ne sort pas de là.

158

Qu'il y ait dans le désir, au sein même du désir, tout ce qu'il lui faut pour, comme dit l'autre, persévérer dans son être — voilà ce dont il ne faut pas démordre. Le désir c'est comme le mouvement chez Descartes. Il dure. Il dure. Il dure même, à la limite, éternellement. S'il n'y avait que lui, le désir, s'il n'était pas doublé, troublé, parasité par d'autres types de choses, de passions, il pourrait ne pas se fatiguer de durer. La seconde chose, alors...

F. G. : Mais tous les désirs s'épuisent! Pas seulement LE désir... Votre espace infini, je veux bien... Mais l'autre change... Chacun change au fil des années... Je ne parle pas seulement du changement physique que l'on perçoit à peine quand on vit ensemble mais de changements plus subtils... On a aimé un jeune homme ardent et pauvre qui voulait écrire... On se retrouve avec un industriel préoccupé par ses traites. On a aimé une jeune femme rêveuse et fragile... On se retrouve au lit avec un pilote de Boeing. Et soi-même, qu'est-on devenu? Je caricature à peine. On aime un moment d'un être. Et ce moment est essentiellement précaire.

B.-H. L. : Laissez-moi finir. La seconde chose, dis-je, c'est qu'il y a du «trouble» justement, du «tremblé», du «parasite» — et des tas de choses qui interfèrent avec le pur jeu du désir. Quoi? Des

159

passions, bien sûr. D'autres passions. Le cas le plus simple étant celui d'une autre femme — d'un autre homme — venant prendre la place de l'être hier aimé.

F. G. : Elémentaire, mon cher Watson...

B.-H. L. : Mais cela peut prendre d'autres formes. Cela peut être, avec la même personne, une autre passion forte, impérieuse, qui vient parasiter la première et saturer son espace. Il y a des couples rongés par la rancœur. Ou des rancunes obscures. Ou la jalousie, dans ses formes pathologiques. Ou des histoires d'enfants anciens. Ou l'arrivée d'enfants nouveaux. Ou l'argent. Ou le pouvoir. Ou ce visage de l'autre, dont on s'avise soudain. Ou la déception. Ou l'amertume encore. Ou sa réaction, imprévue, face à telle circonstance, jugée à tort ou à raison essentielle. Bref, il y a mille passions parasitaires possibles. Mille formes d'obsessions, — absurdes ou pas, peu importe — qui rendent le corps de l'autre, non pas transparent, mais opaque, impénétrable au désir ancien. Il est toujours là, ce corps. Aimable. Désirable. Convenons même qu'il n'a pas changé, ni vous non plus vraiment. Il y a, entre vous et lui, l'épaisseur de la passion nouvelle et du malentendu qu'elle a engendré. Le désir n'est pas usé, mais chassé. La passion ne s'est pas «lassée» — elle est rendue impossible par une autre qui, soudain, l'a remplacée.

F. G. : Oui, je serais assez d'accord avec l'idée de la passion chassée dans certains cas. Mais ainsi va la vie. On ne peut pas savourer/endurer sa passion seul, avec sa bien-aimée sur une petite planète. D'ailleurs un amour a besoin du regard des autres pour exister...

B.-H. L. : Là, pour le coup, c'est le grand thème de *Belle du Seigneur*... C'était la grande thèse de Cohen...

F. G. : Oserai-je dire qu'Albert Cohen m'ennuie un peu ? Dans *Belle du Seigneur* en tout cas... Quand il m'arrive de le relire, c'est en sautant des pages. L'épisode du désamour est magistral néanmoins. Cet homme et cette femme cloîtrés dans leur passion, qui finissent par étouffer comme des poissons hors de l'eau, les prétextes misérables qu'ils se donnent pour continuer à jouer leurs personnages d'amants admirables alors qu'ils crèvent de solitude, l'asphyxie qui gagne Solal, c'est ce qu'on a écrit de plus cruel sur les limites de l'amour humain.

B.-H. L. : C'est vrai.

F. G. : Mais je pensais à autre chose. Au simple fait que l'amour a besoin du monde pour s'affirmer, que le bonheur doit rester « mondain » pour s'accomplir. Cela est dit brièvement et de façon poignante dans un roman beaucoup moins connu, *Chambres séparées,* de Pier Vittorio Tondelli... Un chef-d'œuvre. L'avez-vous lu? Voilà quelqu'un qui a su dire l'amour même s'il s'agit, dans son cas, d'amour entre deux hommes.

B.-H. L. : Je n'ai pas lu, non, qu'est-ce que c'est?

F. G. : Un homme, un écrivain, raconte comment il en a aimé un autre, c'est tout, et dit en passant mais de façon aiguë comment de telles amours sont plus que d'autres condamnées à une clandestinité qui les asphyxie...

B.-H. L. : C'est tout le problème des back street. Certains back street durent des éternités. Mais, en général, ça casse. Et quand ça casse, c'est à cause de ce sentiment d'asphyxie. Les femmes (puisqu'il s'agit, le plus souvent, des femmes) ne supportent pas cette clandestinité obligée, ce secret. En général, d'ailleurs, elles le rompent. D'une manière ou d'une autre, elles le rompent. Brutalement, quand elles sont brutales. Discrètement quand leur tempérament s'y prête. Parfois, elles se contentent de semer les signes, indices, objets familiers qui trahiront la liaison interdite. Au minimum, elles feront en sorte que l'on sache qu'il ne faut pas que cela se sache, que l'on dise qu'il ne faut pas que cela se dise — «chut! il y a

162

là un secret ! un très cher et très précieux secret ! ». Mais accepter l'effet de serre, consentir au silence intégral, se résigner à disparaître (fût-ce dans le cœur de l'aimé) sans laisser de traces, voilà la solution qui n'est en aucun cas envisageable...

F. G. : Je suis étonnée de voir, au contraire, combien les femmes sont encore nombreuses à accepter de jouer *Back Street*. Mais tous mes exemples se situent parmi des femmes qui ont aujourd'hui plus de trente ans... Je ne suis pas sûre que les plus jeunes se résignent aussi facilement aux week-ends solitaires, aux réveillons passés à pleurer, aux côtés un peu ridicules d'un homme qui, pour finir, a peur de sa femme même s'il déguise cette peur sous de nobles sentiments. En tout cas, il faut être fichtrement amoureux pour supporter d'aimer dans l'ombre... et pour que l'amour résiste à cette sous-exposition. L'amour suppose non seulement la durée et la fidélité dans l'intention, mais la publicité... *Back Street* est un piège à femmes...

B.-H. L. : Je ne dis pas qu'elles sont moins nombreuses. Je dis qu'elles ne l'ont jamais joué, le jeu du back street. Enfin, jamais tout à fait. Elles s'arrangent, je vous le répète, pour se tailler un rôle plus flatteur que celui de la pauvre petite fille qui passe son réveillon à pleurer. A partir de là c'est très simple. Ou bien le monsieur accepte. Il feint de n'avoir rien vu. Il accepte de jouer lui aussi, fût-ce à ses risques et périls, le jeu de la-liaison-secrète-dont-on-ne-peut-parler-qu'à-mots-couverts. Ou bien il sera renvoyé à sa propre médiocrité.

F. G. : Je ne comprends pas ce que vous voulez dire. Quel rôle flatteur? Que peut-il y avoir de flatteur dans cette situation quelle que soit la façon dont on la vit? Les petites manières n'y changent rien. Certaines back street ne dés-espèrent pas de confisquer enfin l'objet de leur amour, y mettent une persévérance, un acharne-ment, une astuce extraordinaires et, parfois, réussissent... C'est une autre affaire. Dans ces cas-là, c'est l'homme tiraillé entre deux femmes qu'il faut plaindre, encore qu'il n'avait qu'à ne pas se fourrer dans ce guêpier. Mais les back street douces, patientes, héroïques, celles-là méritent vraiment une médaille en chocolat.

B.-H. L. : Pourquoi pas...

F. G. : Parce qu'elles sont l'objet de condescen-dance plus que d'admiration comme vous venez de le montrer.

B.-H. L. : Mais non. Si vous saviez...

F. G. : Alors tant mieux.

B.-H. L. : Je voudrais qu'on revienne une seconde à la question de fond. Pourquoi l'amour tolère-t-il mal l'isolement? la clandestinité? Pourquoi dépérit-il quand on le contraint à vivre en vase clos — votre «petite planète» de tout à l'heure? Je vous ferai d'abord remarquer que les amants, en général, prétendent exactement l'inverse. Ils disent : «non, non, pas du tout! on rêve d'une passion cachée! on rêve d'être seuls au monde! l'amour n'est-il pas asocial? rebelle à la communauté? être amants, cela ne revient-il pas à fonder sa petite communauté à soi?» Ils changent d'avis très vite, d'accord. Ils déchantent. Mais enfin c'est ce qu'ils disent...

F. G. : L'homme est un animal social. Quand il ne rencontre personne, il ne peut pas devenir lui-même. Il suffoque dans la solitude, fût-ce la solitude à deux.

B.-H. L. : Si vous avez raison — et je crois que vous avez raison — il y a deux explications. D'abord celle de Cohen qui, je vous l'accorde, est courte. Les amants s'ennuient, dit-il. Ils n'ont, vite, rien à se dire. Leurs tête à tête sont assommants. Leurs soirées interminables. Leur amour est exsangue, privé de la substance que le vaste monde leur apportait. Ils le maudissaient, le monde. Ils ne rêvaient que de s'en évader. Maintenant que c'est chose faite, maintenant qu'ils sont livrés à l'exclusivité de leur amour, ils rêvent d'en sortir à nouveau, de respirer un peu.

F. G. : Oui. C'est, je vous le disais, ce qu'il y a de plus réussi dans Cohen.

B.-H. L. : Il y a une seconde explication. A mon avis, plus sérieuse. Elle part de l'idée que le rapport entre un homme et une femme n'est jamais un tête à tête. Il y a l'un. Il y a l'autre. Mais il y a, entre l'un et l'autre, toute une série de « tiers » dans le regard desquels la partie érotique se joue. Structure mimétique du désir... Circularité... Spécularité... C'est ce que dit René Girard. Et, avant lui, bien des écrivains.

F. G. : Il a fait tout un livre sur le désir mimétique à travers les pièces de Shakespeare !

B.-H. L. : Oui... Ces ombres proches... Ces témoins muets... Cette ronde de fantômes, plus ou moins bien incarnés, qui rôdent autour des amants... Si la théorie est juste, si l'on ne peut aimer que dans l'ombre ou le regard d'autrui, bref s'il y a toujours « foule » autour de l'ébat amoureux, alors on tient la vraie raison de cette incapacité de l'amour à supporter la solitude à deux ; les amants peuvent continuer, jusqu'à la fin des temps, de nous dire leur petite comptine sur l'amour asocial et sauvage, il y a des raisons «essentielles» qui font que cela ne marche pas...

F. G. : Je crois que les deux explications sont bonnes à des niveaux différents. Et que les petites planètes, ou si l'on veut les îles désertes, ne sont paradisiaques que pendant quinze jours tout au plus.

B.-H. L. : Là, vous allez fort !

F. G. : On ne peut pas finir avec ce chapitre sans parler des amours contingentes... Le modèle, évidemment, c'est le couple Sartre-Beauvoir qui est, en soi, une œuvre. L'œuvre de Beauvoir surtout. Mais enfin ils ont su tous les deux, alors qu'il n'y avait plus entre eux le moindre rapport physique, préserver un amour, une tendresse, un respect réciproque, une relation vivante, exigeante et, en somme, une fidélité à toute épreuve... Alors que, dans le même temps, Beauvoir découvrait avec Nelson Algren ce qu'elle n'avait jamais connu avec Sartre, ni avec aucun amant de passage, c'est-à-dire le plaisir, et que, outre ses petites amies, Sartre a eu une liaison grave, sérieuse avec la fameuse Dolorès... On ignore si Sartre a été jaloux, Beauvoir l'a été manifestement... Mais ce qui les liait a été indestructible. Exceptionnel ? Sans doute. Inimitable ? Je n'en suis pas sûre.

Enviable? Davantage que la course à la grande passion entrecoupée de divorces. Etrangement, cet homme et cette femme qui n'ont pas voulu du mariage ont réussi, en somme, un mariage.

7

DE LA FIDÉLITÉ COMME JOUISSANCE

F. G. : Et la fidélité ? L'infidélité est-elle compatible avec l'amour ? avouée ? dissimulée ? J'aimerais vous entendre là-dessus...

B.-H. L. : Vous connaissez la phrase de Renan ? C'est au début des *Souvenirs d'enfance et de jeunesse*. Il se demande à quoi un homme, dans une vie, doit être fidèle. Il répond : « à lui-même, à son éditeur et à une femme. »

F. G. : Je ne connaissais pas cette phrase... Elle est jolie... Dois-je comprendre que vous la faites vôtre ?

B.-H. L. : Ce que j'aime dans la phrase, c'est le « à une femme ». C'est-à-dire le côté singulier de la chose. Son côté contingent, presque exceptionnel. Ce que j'aime c'est, si vous préférez, la fidélité par accident. L'autre fidélité en revanche, celle qu'on érige en principe, celle dont on fait une valeur en soi, la fidélité des troubadours et des amants courtois — celle-là, non, je vais peut-être vous choquer : mais je pense qu'elle n'a, réellement, rien à voir avec l'amour.

F. G. : Cela ne me choque nullement. Je me suis toujours demandé au nom de quel «droit de propriété» on pouvait priver un homme de toutes les femmes, une femme de tous les hommes... Drôle de façon d'aimer. Restent les modalités, si je puis dire. On se dit tout ? On ne se dit rien ? On feint de ne pas savoir ? etc.

B.-H. L. : «Tout se dire», non, quelle horreur...

F. G. : Vous vous souvenez de *La Condition humaine* ? Quand May dit à Kyo, son mari, qu'elle a couché avec je ne sais qui, elle le dit parce que cela fait partie de leur contrat, la liberté réciproque, et ce révolutionnaire complètement investi dans l'action est tout à coup atteint au fond... Mais alors quoi ? tromper au vrai sens du mot ?

B.-H. L. : Je me méfie des contrats entre amants... De tous les contrats... Il y a les contrats de fidélité : «je te serai fidèle ; quoi qu'il arrive, je te serai fidèle.» Il y a les contrats d'infidélité : «liberté pour l'un ; liberté pour l'autre ; on prend tout ce qui passe ; et, chemin faisant, on se raconte tout.» Il y a encore les contrats pervers, ou

170

canailles, du style Valmont-Merteuil : «crime commis en commun; complicité dans la rouerie.» Je ne peux pas vous dire mieux : je déteste l'idée même, entre amants, d'un contrat ou d'un pacte.

F. G. : Il y a de bons pactes. Mais le «on se dit tout» me fait horreur à moi aussi. Cependant, on ne peut pas parler comme vous l'avez fait de la jalousie et traiter avec négligence l'infidélité... Et d'abord : où commence l'infidélité? avec l'aventure sans lendemain? Et lui accordez-vous le même prix s'il s'agit de la vôtre ou de celle de votre compagne?

B.-H. L. : L'aventure sans lendemain... L'infidélité commence, évidemment, avec l'aventure sans lendemain... Les hommes — ou, parfois, les femmes — qui vous disent le contraire ne savent pas de quoi ils parlent. Ce sont des hypocrites. Ou — pire — de piètres amants.

F. G. : Vous prêchez donc la fidélité absolue?

B.-H. L. : Je ne prêche rien... Comment prêcherais-je quoi que ce soit? Je dis seulement qu'il ne faut pas prendre les gens — en l'occurrence, les femmes — pour des imbéciles. Et que les types qui disent : «non, non! ça ne compte pas! c'était juste un coup en passant! il y a des jours où on fait l'amour comme on boit un verre de Coca» — je dis que ces types, donc, se fichent du monde et sont, doublement, des salauds.

F. G. : Les hommes ne sont pas seuls à pratiquer l'aventure d'un jour, ou d'un soir, même s'ils sont plus nombreux à le faire. L'occasion, l'herbe tendre... Dire que ce sont des «salauds»... (et des salopes sans doute?) le terme est peut-être un peu fort. Non que j'aie envie de plaider leur cause. Mais après tout, il y a toujours une première fois en amour... Il y a de grandes amours qui sont nées d'une rencontre que l'on croyait fugitive...

B.-H. L. : Je ne dis pas que les hommes sont des salauds de pratiquer l'aventure d'un jour. Je leur reproche d'aller raconter, ensuite, qu'ils l'ont fait comme ça, sans y penser, que cela n'a aucune espèce d'importance, qu'il y a amour et amour, etc. Je sais de quoi je parle, croyez-moi. La seule chose qui peut sauver un «infidèle» c'est la conscience qu'il a de faire le mal. Quelle que soit la circonstance, l'importance de la liaison, sa fugacité, son absurdité, c'est de ne jamais vivre la chose dans cette espèce d'innocence...

F. G. : Bon. Mais d'où vient donc que la fidélité soit si pesante? Aux hommes plus qu'aux femmes, c'est un fait, comme s'ils étaient en permanence taraudés par le besoin d'exhiber leur sexe... Les femmes se tiennent mieux, il me semble. Besoin de se rassurer? de vérifier qu'ils peuvent être désirés?

B.-H. L. : «Pesante»... Je ne crois pas que je dirais «pesante»... On peut être fidèle avec plaisir. On peut trouver une vraie jouissance dans la fidélité. On ne dit pas : «je te suis fidèle.» Encore moins : «je le serai toujours.» Mais voilà. C'est ainsi. Il se trouve qu'on l'est. Et de l'être ainsi, sans pacte ni contrat, de l'être sans y penser et comme naturellement, procure, oui, une sorte de plaisir...

F. G. : Cela procure aussi un plaisir au spectateur de cette fidélité. Nous aimons tous les exemples de fidélité humaine. Nous y sommes tous sensibles comme à une œuvre réussie, à quelque chose de beau en soi. Pour ma part, je souscris entièrement au plaisir que procure la fidélité spontanée, non contrainte. Mais enfin nous avons des yeux pour voir et des oreilles pour entendre... Le moins qu'on puisse dire est que ce n'est pas la règle. Et je vous pose encore une fois la question parce que vous êtes un homme : à quoi correspond cette rage masculine de «courir le jupon» alors même que la plupart de ces coureurs prétendent aimer leur femme ou leur compagne et ne vouloir à aucun prix «lui faire de la peine»? Il n'existe pas de statistiques sur la question mais il paraît évident que l'homme infidèle est un modèle beaucoup plus courant que la femme infidèle.

B.-H. L. : Je pense en effet, oui, que les femmes sont moins infidèles qu'on ne le dit. J'ai presque envie d'ajouter : moins infidèles qu'elles ne le disent elles-mêmes. Il y a les femmes «modernes», d'accord. Il y a les femmes qui se vengent. Celles qui font semblant. Celles, encore, qui se conforment à ce qu'elles pensent être l'attente ou le désir des hommes. Mais dans l'ensemble, vous avez raison. Les vrais amateurs de femmes — ceux qui les écoutent, les font parler et, bien entendu, les désirent et les aiment — le savent d'ailleurs fort bien : la proportion de femmes «vertueuses» pour qui une aventure érotique est toujours une grande affaire n'a pas beaucoup changé avec la soi-disant libération des mœurs. Quant aux hommes...

F. G. : Une grande affaire... Ce n'est pas ce que je voulais dire. Il y a beaucoup de femmes — modernes ou pas, je ne sais pas ce que cela signifie — pour lesquelles une aventure érotique n'est pas une grande affaire. Ce que je crois, c'est qu'une femme heureuse physiquement avec un homme n'a pas envie de se retrouver dans les bras d'un autre... Et que ce n'est nullement le cas des hommes Encore une fois, comment l'expliquez-

174

vous ? Ce serait intéressant de savoir, de comprendre cette pulsion...

B.-H. L. : Il y a plusieurs ressorts différents. Le plaisir, d'abord. Il faut être honnête, il y a quand même d'abord le plaisir. La rencontre... La séduction... La découverte d'un corps neuf... Les images qui s'y associent... La part de vous-même qui surgit alors... La part *nouvelle* de vous-même... Car attention ! Un séducteur, ce n'est pas un homme unique, tout d'une pièce, qui irait de l'une à l'autre en restant, lui, le même. Non. Chaque proie le ravit. Chaque conquête le réinvente. Chaque nouvelle femme l'accouche, en quelque sorte, d'un autre lui-même. Lévinas dit de belles choses sur la caresse. Il dit que caresser un être ce n'est pas seulement le toucher, l'effleurer, jouir de son corps. Mais que c'est aussi, et à la lettre, le façonner. Eh bien il y a de cela dans la fièvre donjuanesque. Une curiosité narcissique infinie. Une quête éperdue de ses propres multiples visages. Cette idée que chaque aventure va vous doter, sinon d'une âme, du moins d'un sentiment, d'un geste, d'une attitude que vous ne vous soupçonniez pas. Appelez cela de l'égotisme. Une forme exaspérée de l'égotisme. C'est le premier ressort.

F. G. : Et le second ?

B.-H. L. : Le second... Il y a des tas d'autres ressorts, évidemment... La curiosité... Le plaisir de la conquête... L'idée de tendre des filets, de guetter la proie, de la ferrer... La difficulté de l'entreprise... Sa facilité... Le fait que cela *ait l'air* difficile, que l'objet se dérobe, recule, semble d'abord inatteignable — et puis s'avère, en fin de compte, à portée... Les séducteurs sont des gens bizarres. Ils aimeraient tomber sur un bec. Ils ne détesteraient pas d'être déçus. Mais ils sont déçus d'être, en fait, si rarement déçus... Ajoutez à cela la vanité... Ou le prestige... Ajoutez qu'il y a un « marché » des femmes ou qu'ainsi se le figure, en tout cas, votre « homme infidèle »... L'expression est horrible : mais c'est vrai qu'il y a un « marché » des femmes et que certains (je dis bien « certains » car il y a des séducteurs — les plus authentiques peut-être — qui préfèrent une forme de secret, de clandestinité) prennent plaisir à s'y illustrer.

F. G. : Où vit-on ses amours ? Toujours dans le même cercle pour finir, plus ou moins large... On n'échappe guère, sauf accident heureux ou malheureux, à une prédestination sociale, culturelle. Mais à l'intérieur même de ce cercle fatal, certaines conquêtes sont valorisantes ; d'autres dévalorisent ; cela est vrai pour les femmes comme pour les hommes.

B.-H. L. : Justement. Prenez votre don Juan...

176

Il est clair qu'il se mesure aux autres «amateurs» à travers sa plus ou moins grande aptitude à «opérer» sur ce marché. C'est une idée peu héroïque, je vous l'accorde. Mais, hélas, c'est ainsi. Et tout le monde, je dis bien tout le monde, tombe plus ou moins dans le panneau.

F. G. : Vous croyez?

B.-H. L. : Regardez, pour ne rien dire des vivants, quelqu'un comme Drieu La Rochelle. On se demande sans arrêt pourquoi ses contemporains directs ont été si aimables, si indulgents avec lui. Ils savaient, eux, qui il était. Ils parlaient avec lui. Ils avaient ses articles sous les yeux. Or ils continuaient de bien l'aimer, de le voir, de le fréquenter. Et quand je dis «ils», je ne pense pas seulement, bien sûr, aux collaborateurs de la NRF allemande. Je pense à des gens comme Malraux, Nizan, d'Astier de La Vigerie, j'en passe.

F. G. : Les gens d'aujourd'hui ont encore des trésors d'indulgence pour Drieu.

B.-H. L. : Un jour, j'ai essayé de comprendre. Quand j'ai tourné, et écrit, mes *Aventures de la liberté*, j'ai essayé de comprendre. Et ce qui m'a sauté aux yeux c'est effectivement cette affaire de femmes. Drieu c'était l'«homme couvert de femmes». Et cette réputation (probablement, d'ailleurs, surfaite) épatait Nizan ou Malraux et les faisait passer sur le reste. Il pouvait bien être fasciste, après cela. Et antisémite. Il flottait autour de son nom un parfum de charme et de jolies femmes qui, d'une certaine façon, le sanctuarisait. Je vous parle de Drieu. Je pourrais prendre d'autres exemples, y compris plus proches de nous. La règle est, chaque fois, la même : dans l'ascendant qu'un homme exerce sur ses semblables, cette excellence supposée dans l'art de la séduction a toujours un rôle essentiel.

F. G. : Je crains que sur tous ces points vous n'ayez raison et qu'il n'y ait autour de ce qu'on appelait autrefois l'« homme à femmes » un parfum irrésistible... Celui de l'exploit. Et, par définition, c'est un infidèle. En même temps, il y a quelque chose qui fascine dans la longue et tenace fidélité... Quelque chose que l'on envie, peut-être obscurément... C'est Jules Renard qui écrit, dans son *Journal* : « ma fidélité de mari, chose comique, consolide ma réputation littéraire... »

B.-H. L. : Est-ce bien sûr ?

F. G. : Quoi donc ?

B.-H. L. : Que la fidélité consolide la réputation littéraire ?

178

F. G. : Je crois que la grande fidélité épate toujours les gens. Prenez Aragon...

B.-H. L. : Prenez Hemingway, c'est le contraire.

F. G. : Oui, mais il n'épate personne, Hemingway.

B.-H. L. : Comment cela — «il n'épate personne»?

F. G. : C'est son œuvre qui épate.

B.-H. L. : Son œuvre et le reste. Cas exemplaire, au contraire, d'une séduction qui fonctionne sur les deux registres à la fois.

F. G. : Mettons qu'on puisse «épater» par des moyens divers. Par la fidélité à une femme, et parce qu'on va faire la guerre en Espagne, et parce qu'on se tire un coup de carabine dans la poitrine.

B.-H. L. : Peut-être.

F. G. : Puisque je m'instruis ici, sur les hommes, je poursuis mes questions. Hypothèse d'école : vous apprenez que la femme de votre vie a une aventure qu'elle dissimule. Que faites-vous?

179

Et qu'est-il bon de faire, selon vous? des reproches? de l'humour? le silence?

B.-H. L. : La quitter.

F. G. : Bonne décision à condition de s'y tenir. Parfois c'est difficile. On a mal. Je serais moins radicale que vous s'il s'agit de l'aventure d'un soir. Il y a parfois des circonstances atténuantes. Si c'est plus sérieux, c'est évidemment ce qu'il faut faire : quitter. Vite, proprement, sans scène ni larmes. Mais implacablement. Rompre. A moins que l'on ne vive sous le régime de la tolérance réciproque, qui est le plus civilisé.

B.-H. L. : Hum... Je n'en suis pas sûr!

F. G. : Ce n'est pas ainsi, en tout cas, que les choses se passent généralement... Du moins dans l'autre sens... Les femmes apprennent de leur mère, qui l'a appris de la sienne, qu'il faut savoir « fermer les yeux », tout en gardant « l'œil ouvert » parce que les hommes, vous savez ce que c'est... Et de plus ou moins bonne grâce, plus ou moins meurtries, elles passent en effet sur une frasque ou une autre, et entrent ainsi dans un processus de mensonges dégradants pour tous les deux, avec l'inévitable « mais tu sais bien que c'est toi que j'aime » que toutes les femmes trahies ont entendu au moins une fois. Alors quoi? des représailles?

C'est la solution vulgaire s'il en est, et qui n'arrange rien. Non, si on le peut matériellement, et ce n'est pas toujours simple, il faut quitter, quitter, quitter. Et là, les femmes modernes qui font l'objet de votre ironie sont autrement armées que les autres. Parce qu'elles sont matériellement indépendantes. Et cela change tout. Je sais un homme très connu à Paris qui vient d'en faire la cruelle expérience... Sa femme l'a planté là en dix minutes. Il s'est retrouvé seul dans son appartement, complètement effaré par ce qui lui arrivait.

B.-H. L. : Oui. Mais j'ai aussi, en tête, des situations inverses. Des femmes qui, avant, menacent de toutes les tempêtes. Des femmes fatales. Des femmes dangereuses. Des femmes dont on se disait : «elle partira; à la seconde même elle partira; elle ne pourra pas, telle que je la connais, accepter un seul instant l'outrage.» Et puis, quand le jour arrive, rien ne se passe. Par tradition, vous dites? Modèle acquis? Discours des mères? Peut-être... Peut-être aussi par amour... Un amour plus fort que tous les orgueils, les déterminations, les indépendances. Je ne sais rien de plus triste, de plus émouvant que ce spectacle...

F. G. : Le spectacle d'un homme qui s'accroche, qui menace, qui veut des «explications», ce n'est pas mal non plus, croyez-moi... C'est curieux, cette vision que vous avez des femmes

181

avalant tout, l'outrage, l'humiliation... Il y en a évidemment, et comme c'est cette race que vous aimez, c'est celle que vous rencontrez...

B.-H. L. : Je ne vous parlais pas de moi. Ni des femmes que j'ai rencontrées.

F. G. : Je ne dis pas que les femmes sont devenues soudain intransigeantes à l'infidélité. D'ailleurs, il faudrait d'abord définir laquelle : l'aventure ou la liaison installée... Je dis qu'une nouvelle espèce de femmes, indépendantes financièrement, a plus de force pour rompre quand elles sont excessivement blessées, humiliées par une tromperie. Et que c'est très bien ainsi.

B.-H. L. : On s'accroche toujours sur la même chose. Vous me parlez de l'indépendance des femmes, de leur autonomie financière. Je vous parle, moi, d'amour. Eventuellement de chagrin d'amour. Et je prétends que ceci n'a rien, vraiment rien, à faire avec cela. Comment pouvez-vous en douter ? Comment pouvez-vous dire le contraire ? Vous-même... Vous avez été, vous-même, le prototype de cette femme libérée, indépendante, souveraine. Vous avez gagné de l'argent. Dirigé des machines énormes. Vous avez régné — le vrai règne : celui que procure, non l'argent, mais l'ascendant — sur des dizaines, des centaines d'hommes. Est-ce que cela vous a donné... com-

ment dites-vous ?... « plus de force pour rompre » ?
une « invulnérabilité » plus grande ?

F. G. : Et comment ! L'invulnérabilité n'existe
pas. Et le chagrin, on peut en mourir. Mais
comment pouvez-vous croire que l'on est la même
personne quand on ne sait pas où se loger, quand
on n'a pas d'existence sociale autonome, quand on
est Madame Untel ou zéro, ou quand on a, au
contraire, des arrières assurés ? Ce n'est pas seulement une affaire d'argent !

B.-H. L. : Les « arrières » ne changent les choses
qu'en apparence. Il y a des femmes qui, quels que
soient leurs « arrières », vivent dans la hantise de
la solitude, du délaissement, de l'abandon. Lorsqu'elles sont réellement abandonnées, ces
femmes, elles réagissent toutes de la même façon...

F. G. : Attendez. En ce moment nous parlons
des femmes qui, se découvrant trahies, préfèrent
« encaisser » plutôt que rompre ; c'est bien ça ? J'ai
été la première à vous dire que c'était l'attitude la
plus courante... Mais pourquoi voulez-vous nier
que toutes les femmes ne sont pas taillées sur le
petit modèle gémissant, sournois et douloureux
que vous avez en tête, celui du XIXe siècle, même
pas d'il y a cinquante ans ? Je n'arrive pas à croire
que votre chemin n'a jamais croisé celui d'une
femme qui ne sanglote pas dans tous les coins et

qui ne s'accroche pas à l'amant ou au mari infidèle. Je ne peux malheureusement pas citer ici des noms, ce serait indécent. Mais les exemples ne me manqueraient pas...

B.-H. L. : Exemples... Contre-exemples... On pourrait jouer longtemps à ça. Ce dont vous ne me convaincrez pas, c'est que l'indépendance des femmes, leur autonomie financière ou profession-nelle, modifient, tant que cela, leurs réactions dans ces circonstances. Pardon, d'ailleurs, de revenir à la charge. Mais j'ai pris un exemple précis. Je vous ai demandé si vous-même...

F. G. : Moi-même... Je me suis toujours déga-gée proprement. Le plus gentiment possible. Sans mensonges. Et lorsque la rupture n'a pas été de mon fait, lorsqu'elle m'a été cause de douleur, je n'ai pas poussé un cri ni formulé un reproche. Rupture sèche. Mais je n'ai jamais dit que l'auto-nomie épargnait la souffrance ! Ni qu'elle préser-vait de conduites désordonnées. Jalousie + rup-ture : il y a de quoi faire des folies. Mais les hommes en sont aussi capables que les femmes.

B.-H. L. : Vous avez fait des folies ?

F. G. : Oui, si l'on veut. Dans cette situation, il y a des hommes et des femmes qui se vengent horriblement. Qui deviennent capables d'actes insensés, sauvages. J'ai connu autrefois une femme, abandonnée par son amant, qui lui a tiré une balle dans la tempe, la nuit, pendant qu'il dormait. C'était une femme très bien élevée. Elle doit encore croupir au fond d'une prison. Elle s'appelait Léa. Léa S.

B.-H. L. : Oh! on ne reste pas bien longtemps en prison dans ces cas-là. Il ne faut pas trop le dire, mais on n'y reste jamais si longtemps...

F. G. : Il y a un degré de douleur qui aveugle toute raison. Cette femme était belle, charmante, riche de surcroît. Elle devait avoir un peu plus de quarante ans. Lui était plus jeune qu'elle. Elle l'avait beaucoup formé, policé. Leur liaison paraissait intangible lorsqu'il est tombé amoureux d'une autre. Elle en a été littéralement suppliciée. Elle a pleuré, elle a hurlé comme une bête. Elle a supplié, tenté des démarches, vaines naturellement, auprès de sa rivale. Et puis un soir, froidement, elle a tué. Elle s'est en quelque sorte délivrée.

B.-H. L. : Vous, maintenant?

F. G. : Je me suis tuée moi-même. C'est moi que j'ai punie de n'être plus aimée. Longue histoire sans intérêt.

B.-H. L. : Pardon. N'en parlons pas.

F. G. : Non. S'il vous plaît.

B.-H. L. : Il faudrait revenir, avant de se quitter, sur la fidélité. Je ne crois pas qu'on ait épuisé ce sujet de la fidélité...

F. G. : Il est sans fond...

B.-H. L. : Nous parlions du « pacte de fidélité ». Cette façon, assez sotte, de dire : « je peux changer ; nous pouvons, toi comme moi, devenir l'ombre de ce que nous sommes : un pacte nous lie, qui est le pacte de fidélité. »

F. G. : C'est assez naïf en effet. Car on conclut ce pacte généralement à un moment où rien ne menace l'amour. Cela fait un peu serment de boy-scout.

B.-H. L. : C'est la fidélité « courtoise ». La fidélité Rougemont. C'est aussi le côté Saint-Exupéry. Vous savez la fameuse phrase — je la cite de mémoire : « s'aimer c'est construire quelque chose ensemble et regarder dans la même direction. » Il y a, c'est évident, un côté tue-l'amour dans toutes les attitudes qui prétendent nous préserver de ce qu'il peut y avoir de vif, d'inopiné dans le sentiment. Je lisais l'autre jour, dans l'*Histoire de la sexualité* de Foucault, ce texte de saint François de Sales qui est supposé, en principe, nous rendre la fidélité désirable : « l'homme c'est comme l'éléphant ; car l'éléphant ne change jamais de femelle ; il aime tendrement celle qu'il a choisie ; il est une grosse bête, mais la plus digne qui vive sur la terre. » Cette fidélité-là, merci !

F. G. : C'est aussi celle du loup et de l'aigle, qui n'ont qu'une femelle et lui sont fidèles toute leur vie. Je déteste qu'on fasse de l'anthropomorphisme à propos des animaux. La « dignité » des éléphants... Je vous demande un peu...

B.-H. L. : La seule fidélité qui vaille, c'est celle qui ne perd jamais de vue l'hypothèse de son contraire. Imaginez un couple, par exemple, qui serait fidèle à cause du sida. Quelle serait la valeur de cette fidélité ?

F. G. : Sage mais nulle.

B.-H. L. : La seule vraie fidélité c'est, au fond, celle des mystiques. On parle des amants, d'accord. Mais c'est sur les mystiques que les amants devraient prendre exemple, pas sur les éléphants ! Car c'est quoi, un mystique ? un vrai mystique ? C'est quelqu'un qui sait — et ne l'oublie à aucun instant — que l'homme est faillible, sujet à l'égarement. Il sait que l'infidélité est là, toujours là, comme une potentialité de son être, une menace. Il est fidèle, évidemment. Mais d'une fidélité précaire, incertaine, dont il ne redoute que trop les éclipses ; et qui n'en a, du coup, que plus de prix. Les saints sont fidèles et faillibles. Fidèles, parce que faillibles. Et cette fidélité-là est évidemment très belle.

F. G. : Très belle, oui. Dès qu'on sort du champ de l'amour, il y a des fidélités remarquables. En amitié par exemple. A propos, croyez-vous à l'amitié entre un homme et une femme ?

B.-H. L. : Non... Plutôt non...

F. G. : Moi j'y crois. Après. Après qu'ils ont épuisé le désir qu'ils ont pu avoir l'un de l'autre. Quand plus rien d'érotique n'interfère. Alors, quand on se connaît bien et qu'on ne s'est pas fait un mal impardonnable...

B.-H. L. : On se fait toujours un mal impardonnable.

F. G. : Je dois pardonner plus facilement que vous.

B.-H. L. : Déformation du sentiment : je pense

toujours plus au mal que je fais qu'au mal que l'on me fait.

F. G. : Vous êtes un saint, Bernard.

B.-H. L. : Non, mais peut-être un grand pécheur.

F. G. : Au fond, vous avez raison. On m'a fait mal et j'ai fait mal, très mal. Mais je n'y pense jamais.

B.-H. L. : Moi, j'y pense toujours.

F. G. : Il reste que, entre anciens amants, on peut établir une relation délicieuse et se demeurer fidèles pour la vie dans l'amitié.

B.-H. L. : Je ne dirais pas «amitié».

F. G. : Pourquoi?

B.-H. L. : C'est tellement compliqué... Tellement chargé d'ambiguïté... Fidélité, oui, bien sûr... Les femmes que l'on a aimées, je crois qu'on leur reste, d'une certaine manière, fidèles... Mais je n'appellerais pas cela «amitié».

F. G. : Pourtant...

B.-H. L. : Et puis comment dirai-je? On devient si vite étrangers, méconnaissables l'un à l'autre. Voilà une chose qui m'a toujours frappé. La vitesse à laquelle les femmes dont on se sépare vous deviennent étrangères. C'est un vrai exercice, d'ailleurs. Un exercice intellectuel plus qu'affectif ou sentimental. Essayer de retrouver derrière ce visage vieilli, ce regard plus dur ou, au contraire, adouci, cette voix imperceptiblement modifiée, ce détachement si net (et dont vous vous rendez vite compte qu'il n'est pas le moins du monde affecté), cette manière autre de se tenir, de s'habiller — essayer de retrouver, enfouis derrière tout cela, les signes d'une présence ancienne...

F. G. : Gilles Deleuze a écrit à ce sujet quelque chose qui m'a fait bondir : «jamais, dit-il, de la femme on ne fera une amie. Car l'amitié c'est la réalisation du monde extérieur possible que vous offre un autrui mâle et lui seul. Et il est utopique, voire affligeant de voir la femme vouloir exprimer ce monde extérieur.» Il est vrai que pour lui, la femme est conscience inutile, objet de luxe...

B.-H. L. : Je ne connais pas cette phrase. Elle est bizarre. D'où vient-elle?

F. G. : D'un article : «Description de la femme» et... je ne sais plus quoi. Je n'ai pas la référence sous les yeux mais je la retrouverai...

190

Ah! ces philosophes! Autrefois, ils parlaient des femmes avec une condescendance amusée, pas tous, pas Diderot, mais la plupart... Maintenant, ils sont devenus d'une agressivité extraordinaire... Comme s'ils se sentaient offensés par ces «nouvelles femmes» dont vous niez l'existence... Mais c'est un autre sujet. On se voit demain?

B.-H. L.: Moi, je ne me sens pas offensé. Vraiment pas. D'autant que je ne suis pas convaincu (je vous le répète, une nouvelle fois) de l'existence de ces «nouvelles femmes». Mais c'est un autre sujet, vous avez raison.

F. G. : Sur lequel nous revenons sans cesse...

B.-H. L. : C'est vrai. Mais on s'est tout dit là-dessus, n'est-ce pas?

F. G. : Tout, je ne sais pas...

B.-H. L. : Femmes au travail, d'accord. Egalité des sexes, bien sûr. Evolution dans les attitudes, les comportements, je veux bien. Mais pour le reste, c'est-à-dire pour l'essentiel (comportements amoureux, érotisme, rêves, fantasmes) je ne suis évidemment pas dans la tête des femmes, mais si j'avais à faire un pari ce serait, encore une fois, celui-ci : entre Sophie Volland et vous, entre la

191

femme «libre» du xviiie et celle d'aujourd'hui, pas de mutation déterminante.

F. G. : Entre Sophie Volland et moi, il y a eu le xixe siècle ! Terrifiant, écrasant pour les femmes, sur tous les plans. Un couvercle de plomb. Les femmes du xviiie sont beaucoup plus proches de nous que celles du xixe. Ne fût-ce que parce qu'on ne leur contestait pas l'intelligence et qu'elles la déployaient avec quelle allure ! Mais je n'emploierai sûrement pas le mot de «mutation». Il y a changement, il y a des changements qui se répercutent forcément sur ce que vous appelez l'essentiel... Il y a cette transformation qu'apporte l'instruction, si récente, refusée si longtemps aux filles. Il y a, il y a, il y a... Et puis, en effet, il y a une femme biologique... Personne de bonne foi ne peut dire aujourd'hui si quelque chose a bougé dans l'érotisme féminin, dans les rêves, dans les fantasmes. Mais dans les conduites, sûrement. A votre place, je ne prendrais pas de pari.

8

DE LA DIFFÉRENCE ENTRE LES SEXES CONÇUE COMME IRRÉDUCTIBLE

B.-H. L. : Vous vouliez parler de cette histoire de nouvelles femmes, nouveaux hommes, etc.?

F. G. : Je ne sais pas. C'est à vous.

B.-H. L. : Ce sujet-là, primo, je crois qu'on l'a épuisé; secundo, je suis le mauvais client.

F. G. : Parce que?

B.-H. L. : Parce que même si vous aviez raison, même si elle avait eu lieu, cette «révolution en profondeur», même si les femmes avaient changé, et les hommes, et les rapports entre hommes et femmes, je serais probablement le dernier à m'en aviser. Je suis venu à l'âge d'homme avec ça. J'ai connu les femmes à ce moment-là. Les premières femmes que j'ai aimées étaient elles-mêmes les enfants de cette histoire-là.

F. G. : Je ne vois aucune raison d'insister. Sinon, qu'il existe un « trouble » masculin face à la prise de liberté des femmes que j'aurais aimé explorer. En particulier l'étrange situation des pères aujourd'hui... C'est un sujet majeur. Mais dès lors que vous ne le sentez pas...

B.-H. L. : Si... On peut parler des pères...

F. G. : C'est un problème préoccupant sous deux aspects. Un : l'image du père s'est brouillée depuis qu'il n'est plus le *bread winner*, celui qui rapporte, seul, l'argent à la maison. Un père à quoi ça sert ? Surtout quand il travaille beaucoup et qu'il est peu présent. Alors que la mère, même si elle travaille beaucoup, est présente dans tous les actes de la vie qui comptent pour l'enfant. Première remarque. Les filles de ces pères-là se diront peut-être : un homme, ça sert à quoi ?

B.-H. L. : Les filles, ou les fils. C'est, comme vous savez, le cas Aragon...

F. G. : Le cas Aragon, c'est encore plus compliqué.

B.-H. L. : Compliqué, et fou. Cette mère qui le fait passer pour son frère...

F. G. : Disons qu'il lui en est resté quelque chose...

B.-H. L. : Cela dit, regardez le cas de Malraux. Celui de Sartre. Celui de Camus. C'est étrange tous ces écrivains sans père et qui ont vécu leur filiation de cette façon problématique.

F. G. : Un père mort, c'est tout autre chose qu'un père absent, ou séparé. Un mort peut avoir une image très forte, à laquelle s'opposer, pour se poser.

B.-H. L. : Ces drames de la paternité manquée, oubliée, avortée... La littérature, d'une certaine manière, ne nous parle que de cela. Et non contente d'en parler, allez savoir si elle n'y trouve pas sa vraie source, son inspiration première. C'est quoi, un écrivain? C'est quelqu'un qui rejoue, réinvente son origine. C'est quelqu'un qui s'y inscrit, et puis qui la réécrit. Le père, et sa réinvention. La loi et sa transgression.

F. G. : Ce serait un beau sujet de thèse mais ce n'est pas le mien. Je vous parlais des enfants privés d'un père qui existe quelque part, et des pères privés de leurs enfants... Il y a plus de deux millions de couples séparés, plus de six cent mille enfants qui ne voient jamais leur père... Les femmes n'en sont pas toujours responsables, mais elles le sont largement. Dans le stéréotype de la femme moderne auquel elles s'identifient, elles sont libres mais bonnes mères. C'est-à-dire qu'elles ne lâchent pas leurs gosses... Et comme, en cas de divorce, elles ont toutes les chances d'en recevoir la garde, c'est le père qui est évacué... Quand le couple est illégitime, ce qui est courant — le contingent des pères célibataires a décuplé en vingt ans — la question de la garde des enfants ne se pose même pas si la femme s'y oppose. Elle a tous les droits. Autrement dit, pour réussir à être père à part entière, il faut s'appliquer à plaire à la mère. C'est ce que Evelyne Sullerot appelle la stratégie des faibles que les femmes ont pratiquée pendant des décennies. Mais les hommes n'ont pas l'habitude et s'y prennent plus ou moins bien.

B.-H. L. : Je ne me rends pas compte.

F. G. : Il y aurait encore beaucoup de choses à dire à ce sujet, mais je ne veux pas m'étendre.

B.-H. L. : Non, non, c'est important. Je dis « je ne me rends pas compte », mais je sais que c'est important.

F. G. : Les femmes ont une grande responsabilité dans cette détérioration de l'image masculine avec ses conséquences et dans cette captation des enfants.

B.-H. L. : Moi, j'ai plutôt l'expérience inverse. Ces «nouveaux pères» d'après Mai 1968 que les hasards de la vie ont aidés (ou contraints) à «capter» leur enfant et, du coup, à mélanger les rôles, les rejouer, les réinventer — père, mère, grand frère, modèle idéal, confident... Mais pourquoi parler de tout cela? C'était tellement lié, en même temps, aux hasards de l'existence...

F. G. : L'un n'empêche pas l'autre.

B.-H. L. : Je dis les «nouveaux pères». J'évoque «Mai 68». Et, à peine l'ai-je dit, je m'interroge : qu'est-ce que cela avait de nouveau? est-ce que ce n'était pas l'éternel méli-mélo passionnel?

F. G. : C'en est un mais c'en est un autre, même si l'on s'y déchire affreusement. Et si une femme décide de laisser la garde d'un enfant à son père parce qu'elle pense que ce sera meilleur pour lui, on la traite de mauvaise mère et on la culpabilise.

B.-H. L. : C'est vrai.

F. G. : Tout cela n'est pas simple. Mais c'est une affaire sérieuse, très sérieuse. C'est un sujet en soi, le sort fait aux enfants par l'évolution du couple et singulièrement des femmes... La préoccupation de soi, qui est le trait majeur de notre époque, l'individualisme si vous voulez... Comment l'accommoder à l'amour des enfants, si exigeants, qui demande tant d'abnégation quotidienne? Problème immense... Mais je m'éloigne excessivement de notre propos. Pardon.

B.-H. L. : Je reviens en arrière. Cette histoire de « trouble ». Pourquoi avez-vous parlé de « trouble »? Pourquoi voulez-vous tout le temps que les hommes soient « troublés »? Vous dites : «les femmes se sont émancipées». Admettons. Mais quand bien même auriez-vous raison, quand bien même assisterions-nous à l'éclosion d'une nouvelle femme, plus libre, plus vraie, plus égale, plus tout ce que vous voudrez, je ne vois pas en quoi cela devrait catastropher les hommes. Ce serait très bien, au contraire. Ce serait plutôt une très bonne nouvelle.

F. G. : Pour les hommes qui aiment vraiment les femmes, je le crois aussi. D'ailleurs, souvent ils le disent et ils le manifestent. Fini le temps des perruches ou des servantes sournoises, ils ont en face d'eux des femmes qu'il devient beaucoup plus intéressant de séduire et de retenir, dont le cas échéant ils sont fiers, en tout cas avec lesquelles ils se sentent « à jeu ».

B.-H. L. : Voilà.

F. G. : Mais nous l'avons déjà dit, l'homme qui aime les femmes n'appartient pas à l'espèce la plus répandue.

B.-H. L. : « L'amour des femmes intelligentes, un plaisir de pédéraste. » C'est le mot de Baudelaire. C'est le seul mot de Baudelaire que je trouve sot, un peu vulgaire.

F. G. : Combien doutent d'eux-mêmes, et sont déstabilisés par l'indépendance que donne l'autonomie financière. Combien ont peur des femmes, simplement peur, et paniquent dès qu'ils croient surprendre un trait de supériorité chez une femme. C'est dans leur virilité que ceux-là se sentent menacés et ça peut les rendre très méchants. Ce sont les pires misogynes.

B.-H. L. : Toujours d'accord. Sauf que je ne comprends pas pourquoi vous vous entêtez à mêler à ça l'autonomie financière.

F. G. : Mais parce que c'est la clef de tout ! En tout cas celle de l'indépendance.

B.-H. L. : Je vais vous faire bondir. Mais je trouve que l'argent va mal aux femmes.

F. G. : Surtout quand elles en manquent !

B.-H. L. : J'aurais du mal à aimer une «banquière». Ou une «femme d'affaires».

F. G. : Entre une banquière et une femme qui n'a besoin de personne pour payer son loyer, la marge est considérable !

B.-H. L. : Quand je déjeune avec une femme, l'idée même qu'elle paie la note me semblerait incongrue. Et le partage... Je ne parle pas du partage... L'idée du déjeuner «en copains», dont on partage l'addition...

F. G. : C'est autre chose. Une femme peut avoir et un compte en banque et du tact.

B.-H. L. : Un homme peut être pauvre et galant.

F. G. : Mais l'argent, Bernard, pas la fortune, l'argent que l'on gagne, dont on vit, plus ou moins largement, l'argent, c'est le pouvoir. Du pouvoir en tout cas sur sa propre vie, sur ses propres dépenses, sur ses propres caprices. C'est échapper à la culpabilité chaque fois qu'on fait une petite folie... Encore y aurait-il beaucoup à dire sur la culpabilité des femmes vis-à-vis de l'argent, même quand elles le gagnent elles-mêmes mais enfin... Ce pouvoir d'en disposer, c'est bien ce qu'un certain nombre d'hommes supportent si mal de voir leur échapper...

B.-H. L. : Je ne crois pas. Mais alors, pas du tout. Vous êtes en train de me dire quoi? que les hommes seraient contrariés de voir leurs femmes gagner de l'argent et, avec cet argent, assumer elles-mêmes une part de leurs caprices? Quelle idée! Quelle drôle d'idée! Aucun des hommes que je connais, aucun de mes amis, ne voit les choses de cette façon.

F. G. : Ce n'est pas une question de « caprices », mais d'in-dé-pen-dance...

B.-H. L. : Eh bien, je mets les points sur les *i*, moi aussi. On peut avoir une femme qui a un métier, qui gagne de l'argent. Et, primo, n'avoir nullement envie de savoir ce qu'elle en fait; secundo, n'être jamais effleuré par l'idée qu'elle puisse, ainsi, s'émanciper, échapper.

F. G. : Parce que vous êtes sûr de vous.

B.-H. L. : Là où je suis un peu vieux jeu, c'est que je trouve bizarre, en revanche, de parler de tout cela. Il y a des couples qui font des « budgets ». Ou qui « programment » des dépenses. Ou, pis, qui se les « partagent ». Le côté moitié-moitié pour le loyer. Ou les vacances de Noël pour l'un,

201

les vacances d'été pour l'autre. Je trouve préférable, moi, de s'arranger différemment et, je vous le répète, de maintenir, autour de ces questions, un certain flou. Vous verrez là une forme de tartufferie — et vous aurez raison. Vous me direz que, si j'étais OS, et les femmes de ma vie vendeuses dans des grands magasins, je raisonnerais différemment — et vous aurez toujours raison. Encore que... Je ne sais pas... L'argent, son souci — cet autre tue-l'amour.

F. G. : Sans aucun doute. Surtout par défaut. L'idéal est d'en gagner assez l'un et l'autre pour n'avoir jamais à en parler ensemble.

B.-H. L. : Pas forcément. Non, pas forcément.

F. G. : C'est drôle. Vous êtes beaucoup plus jeune que moi et, quelquefois, j'ai l'impression d'entendre mon grand-oncle Adolphe qui disait, le cher homme : « moi vivant, jamais une femme de ma famille ne travaillera ».

B.-H. L. : Je ne pense pas cela.

F. G. : Non, bien sûr. Je veux dire que quelque chose en vous est d'un autre temps.

B.-H. L. : Lorsque j'étais adolescent, deux « types » de femmes me fascinaient. Le premier,

202

c'était la grande bourgeoise. Ou plus exactement : la femme de grand bourgeois. Vous savez... Ces femmes de riches... Ces femmes d'importants... Ces femmes auxquelles d'influents et prévenants époux ont retiré jusqu'au souci de l'argent et de ses usages. Elles sont charmantes. Parfois belles. On leur a fait la vie la plus exquise, la plus dorée qui soit. Mais regardez-les bien. Observez cette absence dans le regard. Cette mélancolie discrète. Observez l'ennui qu'elles dégagent. Leurs flottements soudains. Leur gêne quand, dans un dîner, on leur pose la question (idiote, je vous l'accorde — mais on la pose quand même) de ce qu'elles font dans l'existence.

F. G. : Elles se morfondent.

B.-H. L. : Elles sont censées être heureuses, ces femmes. Gâtées. Mais on sent quelque chose de cassé en elles. Quelque chose de tari dans la source même de leur curiosité ou de leur attention au monde. Une espèce de flottement, oui. Ou, parfois, de petite folie. Cette demi-folie, cette folie douce, qui éclatera à cinquante ans quand le P-D G de mari finira par les plaquer. Ce sont des femmes qu'il était plaisant de séduire. Parce que c'était à la fois facile (elles s'ennuyaient tellement !), et terriblement difficile (si peu de chose avait l'heur, et la grâce, de traverser le mur de leur indifférence !) — et puis parce qu'elles se révélaient, en général, de très douces et prévenantes amantes. Mais je sentais, en même temps, ce qu'il y avait de sinistre dans leur vie. Je devinais le gâchis. La misère profonde. Elles étaient dans la vie et hors la vie. En haut de l'échelle des privilèges — et désocialisées. Des femmes déconnectées. Des femmes autour desquelles le vide, en quelque sorte, s'était fait.

F. G. : Il y a toujours des femmes de ce genre. Assez pathétiques. On ne sait jamais de quoi leur parler...

B.-H. L. : Oui. Ce sont des êtres si étranges. Je dis que ce sont des amantes douces, prévenantes. C'est vrai. Elles n'ont d'une certaine façon que cela à faire. Mais il y a aussi, quand j'y pense, cet égoïsme colossal. Cette prudence. Ce côté : «ne pas perdre, surtout ne pas perdre, les vacances à Megève, le réveillon chez les Machin et même les dîners assommants où on vous demande ce que vous faites mais qui font tellement partie, à force, du paysage.» Elles ont des audaces, ces femmes. Mais ce sont des demi-audaces. Des quarts d'audace. Ce sont des gestes mesurés, calculés — et où on ne prendra jamais le risque de mettre l'«essentiel» en péril. Régression de ce point de vue, par rapport au siècle dernier. Ce genre de femmes, à l'époque, perdaient la tête. Emma — mais pas seulement Emma — donnait, de soi, le

204

spectacle d'une épouse en train de perdre la tête. Alors que les Emma d'aujourd'hui ont tout de même furieusement tendance à s'arrêter au week-end en Normandie, dans la maison de famille, avec — si possible — la complicité de gardiens dévoués... Qu'est-ce qui s'est passé? Qu'est-ce qui a changé? Je ne sais pas...

F. G. : Peut-être que, tout simplement, personne ne leur demande plus de perdre la tête? Qu'un coup de folie serait reçu avec un étonnement navré? Et qu'elles le savent?

B.-H. L. : C'est une jolie réponse... Mais je crois qu'elle est fausse... Un frisson, pourquoi pas. Provoquer chez l'époux juste ce qu'il faut de doute, ou de soupçon, pour ranimer l'ardeur, encore mieux. Mais que l'on ne s'avise pas de leur demander, en plus, de perdre la tête et de tout jouer! Non, je vous assure...

F. G. : Vos grandes bourgeoises sont de petites bourgeoises en somme...

B.-H. L. : C'est moi qui, pour une fois, vais prendre le point de vue de l'histoire et de la sociologie. Je crois que le vrai changement, c'est le divorce. Autrefois le divorce n'existait pas. La femme adultère pouvait donc y aller. Elle pouvait aller très très loin. Le pire, si elle était découverte, c'était le *gentleman agreement* tel qu'il se pratiquait en tout cas jusqu'à la « Belle Époque », dans la bonne société parisienne. On trouve des situations de ce genre chez Balzac. Maxime de Trailles... D'autres... Le héros de *Point de lendemain*, ce roman peu connu, mais si beau, de Vivant Denon... Ce sont des maris trompés certes ; mais qui s'accommodent de leur statut et acceptent, par la force des choses, l'amant. Aujourd'hui Maxime de Trailles rompt. Tout de suite. Et comme sa compagne le sait, elle prend toutes les précautions possibles pour que le secret ne filtre pas. Tête froide. Passion muselée. Refus absolu de l'aventure. C'est bien souvent, croyez-moi, le portrait de la Bovary moderne...

F. G. : Je crois que vous avez raison. Les Bovary d'aujourd'hui — il y en a encore et pas seulement dans la grande bourgeoisie — prennent rarement le risque d'être privées de leur confort. Le mari en fait partie. En quoi elles ne sont pas, d'ailleurs, de vraies Bovary... Pour Emma, le mari fait justement partie de ce qu'elle rejette avec horreur. Elle fait des rêves de promotion sociale... De temps en temps, tout de même, une grande amoureuse casse tout, avec fracas et toute la ville en parle. Nous en connaissons, vous et moi. Mais, si je vous suis bien, vous pensez que le divorce facile a, en somme, consolidé les couples adultères ? C'est original, et probablement exact.

B.-H. L. : Le divorce facile a rendu les gens — et, notamment, les femmes — plus prudents. Plus experts dans l'art du mensonge. Plus dissimulateurs. De l'adultère conçu, désormais, comme un des beaux-arts...

F. G. : Probablement... Mais qu'une passion se déclare et elle emporte toutes les prudences. Je ne sais pas s'il faut dire heureusement ou malheureusement, les passions ont tendance, semble-t-il, à se faire plus rares... Ou plutôt elles ne sont plus artificiellement nourries, comme autrefois, de rêveries et de littératures, de l'idée vague qu'il faut vivre une passion une fois dans sa vie... Le « modèle » amoureux, celui que fournit le cinéma par exemple, a beaucoup changé. Rougemont, dont nous avons déjà parlé, tempête contre la représentation de la passion donnée en Occident comme idéal. Si on ne montrait pas des choses pareilles, dit-il en gros, si les gens ne savaient pas que la passion peut exister, ils ne l'éprouveraient jamais. C'est un vœu pieux. Mais il me semble que cette représentation est moins répandue qu'autrefois. En fait, quel est le « modèle » amoureux, aujourd'hui, celui auquel peu ou prou les jeunes gens et les moins jeunes aspirent de s'identifier ? Je ne sais pas. Le savez-vous ?

B.-H. L. : Je ne sais pas non plus... C'est difficile à savoir... Instinctivement, je dirais que les choses n'ont, à nouveau, pas beaucoup changé et que les gens continuent d'avoir la même attraction — ambiguë, mais forte — pour le modèle passionnel classique. Quelque chose comme : «aimer c'est ne plus être tout à fait soi; c'est se perdre; s'aliéner; éventuellement, même, s'asservir à un autre; c'est donc une aventure terrible; c'est l'une des pires choses qui puissent arriver à un homme, ou une femme; mais c'est tout de même, à la fin des fins, l'une des rares aventures qui donnent son sel, et son prix, à la vie.»

F. G. : Je crois que vous avez raison. Le modèle «grande passion» a gardé son prestige, son attrait un peu sulfureux... C'est l'enfer, mais on a envie d'y griller.

B.-H. L. : On peut, oui, dire les choses ainsi.

F. G. : Mais nous nous égarons, cher Bernard. Nous parlions du rapport des femmes avec l'argent. Vous disiez qu'il y a, selon vous, deux types caricaturaux.

B.-H. L. : En effet.

F. G. : La bourgeoise, donc. Celle qu'on a mise

hors circuit. Et puis il y a l'autre. Quelle est l'autre ?

B.-H. L. : Disons que c'est la « battante ». La femme qui s'assume et, comme vous diriez, prend sa vie en main. La femme dynamique. La femme de pouvoir. La femme qu'on voit le matin, aux aurores, prendre des petits déjeuners d'affaires dans la salle à manger des grands hôtels. La femme qui fume le cigare. La femme qui joue au golf. La femme-homme, en un mot, qui a repris aux hommes leurs attributs les moins sympathiques. Je sais que, en un sens, c'est un « progrès ». Et je sais aussi que vous allez encore me dire que je vous rappelle votre oncle Adolphe. Mais ce n'est pas là, à mes yeux, le rôle le plus flatteur pour une jolie femme. Et j'éprouve toujours un certain malaise, c'est vrai, à les voir comme ça, mal réveillées, trop vite maquillées, coiffées un peu de travers, le rouge à lèvres mal étalé, en train de discuter business avec un patron de chaîne ou de banque... Baudelaire avait des mots terribles pour fustiger le côté hommasse de « la femme Sand ». Je me contente, moi, de trouver ce second modèle aussi pitoyable, pour le moins, que celui de la bourgeoise déphasée...

F. G. : Le cigare, quelle horreur ! Et au petit déjeuner ! Vous ne devez pas en rencontrer beaucoup comme ça. Le golf, pourquoi pas... Mais quel étrange portrait vous tracez... Les femmes actives sont généralement soignées, au contraire. Pressées mais soignées, et si un matin elles ne le sont pas, ça veut dire quoi? Que leur premier souci, ce matin-là, n'était pas de plaire. Et une femme qui ne veut pas plaire, hou la laide! Vous voyez comme vous êtes... Non seulement convaincu que les hommes sont plus forts, plus intelligents, plus courageux, plus créateurs, plus rationnels, les seigneurs, quoi! et que les femmes s'épuisent à les imiter mais que de surcroît elles y perdent leur trop fameuse féminité. Comme si la féminité était un objet qu'on peut oublier sur un fauteuil. Ah! vous m'attristez... Baudelaire a dit aussi que la femme était un sac de pus, une fameuse référence que vous avez trouvée là. Il est vrai qu'il n'aimait que les putains, vérolées de préférence.

B.-H. L. : Pauvre Baudelaire... Aimer à loisir, aimer à mourir... Laissons Baudelaire, voulez-vous?

F. G. : Ce n'est pas moi qui suis allée le chercher...

B.-H. L. : C'est exact.

F. G. : Bon.

B.-H. L.: Sur les putes, cela dit, avait-il

complètement tort? J'en ai connu de charmantes.

F. G. : Ce n'est pas de cela que nous parlons.

B.-H. L. : Sur le fond, je dis quoi? Certainement pas, et vous le savez très bien, que les
hommes soient «plus intelligents, plus courageux,
plus créateurs, plus rationnels». Certainement pas
que les écrivains femmes, les journalistes femmes,
les artistes femmes, les philosophes femmes soient
moins talentueuses, moins intéressantes que les
hommes. Mais un certain type de pouvoir, d'ostentation du pouvoir, ne va pas, oui, avec l'idée
que je me fais du rapport des femmes au monde.

F. G. : Voilà une question sérieuse. Le rapport
des femmes au monde, et au pouvoir. Vous
connaissez la remarque de Pierre Bourdieu selon
laquelle «être un homme c'est être installé dans
une position impliquant des pouvoirs». On pourrait dire a contrario : être une femme, ça a été
longtemps être installée dans une position impliquant la sujétion, sinon l'obéissance.

B.-H. L. : Attendez! C'est autre chose. Vous
n'allez tout de même pas me traiter de partisan de
la sujétion des femmes!

F. G. : Depuis vingt ans, les choses ont changé,

ce système a craqué, les femmes l'ont fait basculer, souvent avec l'aide de certains hommes d'ailleurs, les plus solides, les plus adultes, ceux qui ne sentaient pas leur virilité en danger parce que des pouvoirs passaient entre les mains des femmes.

B.-H. L. : Voilà.

F. G. : Les autres sûrement ont souffert, souffrent, sont déséquilibrés par ces femmes conquérantes, dynamiques. Ils le sont heureusement beaucoup moins en France qu'ailleurs, aux Etats-Unis en particulier où ils ne vont vraiment pas bien. Les rapports entre hommes et femmes sont, en France, et restent les meilleurs du monde, même si ce n'est pas toujours le paradis.

B.-H. L. : Nous sommes d'accord là-dessus. Pour la énième fois, nous sommes d'accord. Et j'étais le premier à me réjouir quand on a eu, par exemple, un Premier ministre femme. Rappelez-vous les propos graveleux de l'époque. Les plaisanteries des uns. Les sous-entendus des autres. Rappelez-vous, dès le premier jour, ce petit bonhomme ricanant sur la «Pompadour de Mitterrand». Tout cela était immonde. Et il fallait — qui le nierait? — s'insurger.

F. G. : Heureuse de vous l'entendre dire.

B.-H. L. : Ma position est simplement celle-ci. Bravo, encore une fois, aux femmes qui ont pris le pouvoir et qui, surtout, y ont pris goût. Moi, le pouvoir ne m'excite pas. Il ne me semble pas désirable. Et ce n'est donc pas cette part d'elles-mêmes qui me rend ces femmes-là désirables.

F. G. : Vous alliez plus loin tout à l'heure. Vous parliez de rouge à lèvres mal étalé et je ne sais encore quoi.

B.-H. L. : Oui. Je trouve que cela leur va mal. Il se trouve sans doute des hommes pour qui le fait qu'une femme soit P-D G est un surcroît de charme. Moi, c'est l'inverse. Je préfère l'oublier. Et les voir, ces femmes-là, autrement — à d'autres heures — que dans l'exercice de leurs fonctions.

F. G. : Qui vous en empêche? Il y a la relation professionnelle. Il y a aussi les autres, heureusement.

B.-H. L. : Autre chose encore. Cette histoire de femmes décoiffées, mal maquillées. Vous allez, de nouveau, bondir. Mais que voulez-vous? Cela fait partie, pour le coup, de l'injustice fondamentale, du scandale originaire. Un homme débraillé, mal rasé, ça passe.

F. G. : Non !

B.-H. L. : Une jolie femme aux yeux cernés, au teint gris, c'est toujours un peu triste.

F. G. : Je persiste à dire que les femmes actives sont généralement soignées. Et que la même, un peu négligée peut-être, vous la retrouverez le soir brillante et transformée. Les femmes sont des caméléons. Non. Le problème n'est pas là. Je comprends très bien la difficulté où se trouvent certains hommes, élevés dans un certain moule, de passer par exemple sous l'autorité d'une femme.

B.-H. L. : Moi pas. En revanche, je ne me vois pas dans le lit de ces femmes-là.

F. G. : C'est tout le système masculin qui s'écroule. On ne peut pas en vouloir aux hommes. Il faut du temps pour que les structures mentales changent, il faut des générations. Mais pourquoi les femmes n'auraient-elles pas, elles aussi, du pouvoir, des pouvoirs si elles ont les capacités ? Quelle est cette malédiction qui devrait les tenir pour l'éternité en état de sujétion ? Alors, vous parlez de l'ostentation du pouvoir. Elle est déplaisante, quel que soit le détenteur du pouvoir, homme ou femme. Mais il faut voir que pour les femmes c'est neuf, le pouvoir, beaucoup ne sont pas très assurées dedans, alors elles en « remettent ». C'est un peu ridicule, ce n'est pas méchant. Là aussi, il faut que le temps passe...

B.-H. L. : Là c'est moi qui vais vous taquiner. Vous en parlez avec une condescendance tout à fait incroyable. On dirait les gens qui parlaient des anciens colonisés faisant l'apprentissage de l'indépendance.

F. G. : Condescendance ! Ah non, sûrement pas ! Expérience d'un ancêtre, oui, peut-être, qui a vu couler beaucoup d'eau sous les ponts et beaucoup de femmes se colleter avec cette histoire de pouvoir. Mais condescendance... Rien ne m'est plus étranger.

B.-H. L. : Si, bien sûr. La condescendance de celle qui a réussi, elle, l'exploit. Car c'est vrai que vous faites partie des rares femmes qui ont réussi à rendre compatibles des positions de pouvoir et de séduction.

F. G. : Ai-je réussi ? Je ne sais pas. Rétrospectivement, il me semble que cette combinaison n'était pas si difficile.

B.-H. L. : Je me pose d'ailleurs la question en vous regardant vivre. Si, si, très sérieusement, c'est à mon tour de vous la poser : aimez-vous, réellement, les femmes, Françoise ? Goûtez-vous, autant que vous le croyez, leur compagnie ?

F. G. : Tout dépend des femmes, et de ce qui les occupe. Quelquefois, en effet, je n'ai rien à leur dire ; encore que, si elles sont jolies, je les regarde toujours avec plaisir.

B.-H. L. : Vous voyez : la condescendance.

F. G. : Pas du tout. J'ai une série d'amies très chères. Qui sont jolies. Et avec lesquelles j'ai, de surcroît, beaucoup de sujets d'intérêt communs. Nous bavardons comme des pies. L'une d'elles est journaliste dans un grand hebdomadaire. Quand son mari nous voit ensemble, il dit : « laissons les femmes tranquilles, elles parlent politique. »

B.-H. L. : Essayons d'aller au fond. Je me demande, en vous écoutant, d'où vient que notre pauvre femme P-D G me semble si peu désirable — même (je suppose que cela va sans dire) si elle est, comme vous disiez, impeccable, soignée, etc.

F. G. : C'est à vous de me le dire. Peut-être est-ce lié à une forme d'assurance, d'autorité associées à la fonction. C'est un lieu commun de dire que les hommes aiment l'apparence de la fragilité chez une femme parce qu'ils en retirent l'illusion de leur propre force. Et je vous concède que vos

P-D G à cigares n'apparaissent pas comme des petits saxes qui appellent protection. Mais il y a peut-être autre chose...

B.-H. L. : Dans la séduction qu'exerce une femme entre toujours (c'est ce qu'on disait l'autre jour) une part de voilement, de dérobade, etc. Cette part d'elle qui vous échappe, c'est cela qui est érotique. Eh bien, je me demande si face à ce type de femme, face à ces femmes chez qui le goût du pouvoir a pris le pas sur d'autres passions, on n'a pas ce sentiment très simple : cette part qui échappe, cette part qui les rend étrangères, distantes, inatteignables, est une chose, primo, dont nous avons, nous les hommes, depuis longtemps fait le tour ; secundo, dont nous savons fort bien, au fond, qu'elle n'a pas grand intérêt.

F. G. : C'est une erreur de croire que le goût du pouvoir prend le pas sur d'autres passions. Enfin, chez certaines peut-être qui sont engagées dans des combats difficiles... Mais c'est le petit nombre et, surtout, c'est rarement le fait de très jeunes femmes. La «femme de pouvoir» a au moins quarante ans, souvent plus, et alors oui, elle peut être habitée prioritairement par cette passion-là... Mais ce n'est pas celle qui vous intéresse... Cependant, j'admets volontiers que le pouvoir, un pouvoir, retire plus de séduction qu'il n'en ajoute à celle qui le détient. C'est un fait. Est-ce pour la raison que vous dites ? Peut-être. Mais je crois que c'est un peu plus compliqué et que le pouvoir réactive surtout l'image de la mauvaise mère, de la mère toute-puissante.

B.-H. L. : L'image de la mère... Les hommes ne sont pas contre l'image de la mère... Ou s'ils sont contre c'est plutôt, comme dirait l'autre, tout contre... Non, non, je le maintiens : la seule chose à laquelle ils tiennent (et à laquelle, il me semble, nous tenons tous) c'est la différence des sexes. Mais c'est ce dont nous devions parler demain, non ?

F. G. : Nous pouvons en dire deux mots, tout de suite.

B.-H. L. : Bien.

F. G. : Bien sûr, les sexes sont différents et le resteront. Heureusement.

B.-H. L. : Vous récusez donc l'idée féministe d'une différence acquise, héritée, culturelle ?

F. G. : Il faut distinguer entre les caractères acquis, surimposés en quelque sorte et les caractères réels.

B.-H. L. : Où est la ligne de partage ? Comment faites-vous la différence ?

F. G. : Le prototype de la faible femme qui s'évanouit quand elle voit une souris, et le prototype de l'homme fort, le cow-boy de Marlboro, qui n'a peur de rien, sont aussi artificiels l'un que l'autre, même si des générations d'hommes et de femmes les ont introjectés. Les femmes les ont progressivement rejetés en ce qui les concerne. Les hommes ne savent plus très bien où ils en sont... Ils flottent un peu entre l'homme fort et ce que serait un homme nouveau.

B.-H. L. : Oui ? Nouveau ?

F. G. : Celui dont Elisabeth Badinter annonce, non sans optimisme, l'avènement, qui serait réconcilié avec sa composante féminine refoulée, comme les femmes assument aujourd'hui leur composante masculine. Je crois aux traits masculins, la maîtrise de soi, la volonté de se dépasser, le goût du risque et du défi, comme je crois aux traits féminins, la compassion, la tendresse, la sensibilité. Mais en fait, aucun des deux sexes n'en a le monopole, ils appartiennent à l'humanité et les uns doivent tempérer les autres...

B.-H. L. : La seule vraie question c'est : croyez-vous qu'il y ait une identité masculine et une

219

identité féminine, et que ces deux identités soient fondamentalement séparées ? Moi je le crois. C'est ainsi depuis la nuit des temps. Ce sera ainsi pour, encore, la nuit des temps. Sauf à envisager une révolution, que dis-je ? une mutation de l'espèce humaine, une fin du monde, le début d'un nouveau...

F. G. : Vous croyez vraiment qu'il y a identité entre le guerrier du Moyen Age et l'employé de bureau d'aujourd'hui ? que rien ne s'est produit depuis ? que les hommes — et les femmes — sont toujours tels qu'en eux-mêmes ? Je ne le crois pas. Il n'y a pas eu mutation, métamorphose de l'espèce humaine, mais évolution. Changement de valeurs d'abord.

B.-H. L. : Bien sûr. Je ne nie pas qu'il y ait évolution ! Je dis que, pour la première fois dans son histoire, l'humanité nourrit un rêve qui est celui d'une résorption, ou d'une dilution, du grand partage sexuel. Vous parlez d'Elisabeth Badinter. C'est bien ce qu'elle dit, n'est-ce pas ? C'est bien elle qui va jusqu'à évoquer la perspective d'hommes «enceints» ? Ce rêve, pour moi, est un rêve fou. Et idiot.

F. G. : Là, je vous suis. Un cauchemar de science-fiction. Je crois qu'elle en est, heureusement, revenue.

B.-H. L. : J'ai envie d'être à la fois plus, et moins, radical. Plus parce que ce ne sont pas seulement, pour moi, des « vertus ». Ce sont, vraiment, des identités. C'est-à-dire, au sens fort, des essences. C'est-à-dire, encore, des êtres au monde, de véritables visions du monde — avec, entre elles, une sorte d'écart, de fossé métaphysique. Et puis moins radical parce que l'avantage d'une identité c'est qu'on peut jouer avec, ruser, la transgresser...

F. G. : Je ne peux pas vous concéder l'idée d'identité s'agissant par exemple du courage, dont on a fait si longtemps le propre de l'homme et dont personne n'oserait dire aujourd'hui qu'il n'est pas aussi bien le propre des femmes... Ce n'est pas si simple de définir l'identité de l'un et de l'autre... Mais il y a deux identités, je le crois. Et deux visions du monde, avec entre elles un fossé, oui, certainement.

B.-H. L. : Un chapitre dans *De l'amour* de Stendhal dit exactement cela. Il parle du plaisir que trouvent les femmes à « pouvoir dans le feu du danger le disputer à la fermeté de l'homme » ; de la manière qu'elles ont de « s'élever au-dessus de la crainte quelconque qui, dans ce moment, fait la faiblesse des hommes » ; et il cite cette phrase d'un historien, très belle : « tous les hommes perdaient la tête, c'est le moment où les femmes prennent sur eux une incontestable supériorité.»

F. G. : On peut toujours compter sur Stendhal.

B.-H. L. : D'un côté, résister à la tentation de l'unisexe, ou du neutre ou, à nouveau, de l'androgynat qui est incontestablement une tentation de l'époque. De l'autre...

F. G. : Ça vous hérisse que je parle de la composante féminine des hommes, de votre composante féminine, cher Bernard? Mais vous êtes né d'une femme, qui vous a porté pendant neuf mois en elle, et nourri... Et de cela vous êtes imprégné à jamais, savez-vous? Comme tous les êtres humains et quoi qu'ils en fassent.

B.-H. L. : Justement. Vous m'avez coupé. J'allais vous dire que le grand «jeu» pourrait être d'un côté, donc, de refuser l'idée que les deux sexes ne font qu'un; mais de l'autre, une fois la différence marquée, le partage établi, une fois congédiées toutes les sottises sur la nature originairement «double» de chacun d'entre nous, jouer avec ces rôles, les détourner, les compliquer. Mais attention! Il s'agit, dans mon esprit, d'une stratégie de séduction. Et cela n'a rien à voir avec ces histoires de mère, ou de féminité enfouie...

F. G. : Ces sottises. Ces histoires de mère. Vous savez à quoi notre conversation me fait penser ? A cet échange saisi je ne sais plus où, dans *L'Accompagnatrice* peut-être. Un homme demande à une jeune fille : « Est-ce si difficile d'être une femme ? — Je crois, répond la jeune fille. Elles s'en plaignent toutes. » Et lui : « En tout cas, c'est impossible d'être un homme. Personne n'y parvient »... Je m'aperçois, soit dit en passant, que nous n'avons pas une seule fois parlé des jeunes filles...

B.-H. L. : C'est exact.

F. G. : « Jeunes filles doctes, avec une lieue marine sous la paupière... » C'est toujours formidable, Valéry ; c'est le « docte » qui est joli...

B.-H. L. : Je n'ai jamais eu une passion pour les trop jeunes filles.

F. G. : Elles sont mystérieuses, pourtant. Avec ce mélange d'enfance inachevée et de féminité exacerbée.

B.-H. L. : Oui. Cela ne me touche guère. Même très jeune, je n'étais pas attiré par les trop jeunes filles.

F. G. : A dire vrai, je ne suis pas sûre de

connaître les jeunes filles d'aujourd'hui. Je connais bien les garçons, pas trop les filles.

B.-H. L. : Il y a quelque chose, dans leur conduite amoureuse, qui m'a toujours un peu gêné. C'est cette part d'enfance, comme vous dites. Cette transparence. Cette confiance. Et, au fond, cette absence de rouerie.

F. G. : Ne vous y fiez pas trop...

B.-H. L. : Peut-être. Mais c'est souvent cela, pourtant, qui séduit les hommes chez les très jeunes filles : une espèce d'innocence... Une *image* de l'innocence... Eh bien je ne dois pas être fasciné par l'innocence...

F. G. : Je suis sensible à la grâce physique des jeunes filles. Ce geste, par exemple, qu'elles ont toutes maintenant — de ramener, du doigt, une mèche de leurs cheveux derrière l'oreille. C'est si joli.

B.-H. L. : C'est vrai. Il y a des gestes d'époque, comme il y a des mots d'époque...

F. G. : La seule chose, c'est qu'elles sont souvent engluées dans des problèmes étranges. Les jours qui n'en finissent pas de passer... Le temps long, si long, avant qu'advienne le je ne sais quoi qu'elles attendent...

B.-H. L. : Vous avez été une jeune fille heureuse ?

F. G. : Il n'y a pas de jeune fille heureuse.

9

DE LA SÉDUCTION ET DE SES JEUX

F. G. : Dans notre élan, nous avons à peine effleuré un thème délicat, celui de la séduction.

B.-H. L. : Oui.

F. G. : Bien sûr, on pense d'abord à don Juan. C'est un peu bateau, don Juan, mais enfin c'est le seul mythe moderne depuis les Grecs, avec don Quichotte. Qui est don Juan aujourd'hui ? Comment séduit-il ? avec quelles armes ?

B.-H. L. : Je ne pense pas que cela ait beaucoup changé là non plus... Ni les armes, ni les ressorts, ni rien du tout.

F. G. : Je le crois aussi. Mais comment les décririez-vous ?

B.-H. L. : Deux messages essentiels. Primo : il les a toutes eues. Secundo : je suis la dernière.

F. G. : Cela, c'est ce qu'il y a dans la tête de la femme séduite. Ce «je suis la dernière», c'est la grande illusion, séductrice. «Moi, je le garderai.» Mais la mécanique de don Juan, quelle est-elle? Pourquoi court-il comme un fou de femme en femme? Que cherche-t-il? Les interprétations divergent, comme vous savez. Quelle est la vôtre?

B.-H. L. : Quelle est la mienne? Vous êtes drôle... Si on parle du don Juan littéraire, de celui de Molière, de Mozart, c'est une chose. Il y a toute la damnation du personnage. Toute sa dimension rebelle. Il y a son rapport à Dieu. Car on ne sort pas de là, n'est-ce pas? La vraie affaire de don Juan, ce ne sont pas les femmes, c'est le ciel. Et c'est même cela, d'ailleurs, qui fit condamner la pièce à l'époque. Bon. Si on parle maintenant de l'autre, du don Juan moderne, c'est autre chose...

F. G. : Le premier a plus d'allure. Mais c'est avec le second que nous vivons essentiellement. A mon tour je vous citerai Albert Cohen quand il se demande à quoi tient la rage de séduire de don Juan alors qu'il est chaste, qu'il apprécie peu les ébats de lit, les trouve monotones et rudimentaires, et s'y résigne parce qu'«elles y tiennent». Le mobile majeur de cette rage de séduire, dit-il, c'est l'espoir d'un échec et qu'une, enfin, lui résiste.

227

B.-H. L. : Une chose est sûre : l'insatisfaction du personnage. Il n'y aurait pas de donjuanisme sans cette insatisfaction fondamentale. A partir de là deux hypothèses. Ou bien cette insatisfaction est, comment dire ? pathologique. Ou bien elle est dans l'ordre. Elle dit quelque chose de l'ordre du désir et de sa vérité. Et ce qu'elle nous dit, c'est : désir égale manque ; désir égale négativité ; le désir c'est, par essence, l'incapacité à atteindre, embrasser son propre objet. C'est l'autre interprétation.

F. G. : C'est la vôtre ?

B.-H. L. : C'est plutôt la mienne.

F. G. : Cela veut-il dire que tous les hommes traversent leur période don Juan, qu'elle ait un caractère pathologique ou qu'elle s'inscrive dans l'ordre du désir ? qu'ils sont tous plus ou moins fascinés par la figure de l'inlassable séducteur qui abat les femmes comme on abat des noix ?

B.-H. L. : Forcément, oui. Il y a forcément de cela. Puisqu'il il y a dans le donjuanisme cette espèce d'aveu quant à la vérité du désir. Tous ont la tentation de don Juan, parce que tous savent que le désir n'est jamais abouti...

F. G. : Essayons d'être plus précis. Un don Juan concret... Dans la vie de tous les jours... Comment cela marche-t-il ? Quelles sont ses motivations ?

B.-H. L. : Il y a beaucoup de choses. Le spectacle, par exemple, que donnent la plupart des couples. Leur médiocrité. Leur misère. Je vous disais, l'autre jour, la méfiance que m'inspirait le discours célibataire tel que nous le lègue le XIXe siècle. Il va de soi que j'en aurais autant au service du modèle conjugal, tel qu'achève de le figer le même XIXe siècle. Comment, quand on voit cela, ne pas être tenté par la fantaisie ? l'aventure ?

F. G. : Je ne crois pas du tout que le modèle conjugal en question soit à l'origine du donjuanisme... Sinon, celui-ci aurait disparu avec le modèle conjugal, si l'on peut dire, moderne... Or il est toujours là, à peine défraîchi.

B.-H. L. : Vous avez raison.

F. G. : Bon. Alors je vous pose, à nouveau, la question. Pourquoi ce goût ? cette folie ? pourquoi cette fièvre qui le fait aller de femme en femme ?

B.-H. L. : Est-ce une fièvre ? Je ne sais pas. Le prototype du don Juan — Valmont — est, comme vous savez, le contraire d'un être de fièvre. C'est un calculateur. Un stratège. Un homme dont les partenaires savent — et elles le redoutent assez — que la première vertu est l'«intelligence»...

F. G. : Laclos dit même «les principes». Il écrit, drôlement, que Valmont est un «homme à principes». Il ajoute même que c'est là son crime le plus noir, le plus impardonnable. Valmont serait innocent s'il agissait sous l'empire de la passion. S'il est condamnable, c'est qu'il ne fait rien qui ne soit rigoureusement pensé.

B.-H. L. : C'est cela. Alors vous me dites : pourquoi ? quel est le mobile de don Juan ? Sa pensée, son calcul les plus constants ? Il y a une explication simple, vous savez : la curiosité. Vous parliez de «monotonie» tout à l'heure. Et c'est vrai — Cohen a raison — que rien n'est plus monotone que le scénario d'une séduction. Mais attention ! Il y a le reste ! Ce qui vient après ! Et pardon si je vous parais un peu «direct» — mais je ne crois pas, mais alors pas du tout, que ce qui vient après soit le moins du monde monotone...

F. G. : Non ?

B.-H. L. : C'est la diversité même, au contraire... La pluralité la plus totale... Il n'y a pas deux femmes au monde — ni, je suppose, deux

hommes — dont la sensualité soit identique...
Comme un nouveau code, chaque fois... De
nouveaux émois... Des caresses imperceptiblement différentes, et donc bouleversantes... Comment, par quelle aberration, a-t-on pu dire que
l'érotisme est le règne de l'uniforme, du sembla-
ble? Votre don Juan est quelqu'un qui a la
curiosité de cela. Une curiosité intarissable —
parce que la réalité est, elle-même, indéfiniment
diverse, contrastée. Découvrir l'*autre* corps d'une
femme, son *autre* voix, ses *autres* gestes — quelle
aventure !

F. G. : Je vous pose la question encore autrement. En un temps où il n'y a plus guère de vertus
farouches, de forteresses réputées imprenables,
l'étonnant n'est-il pas qu'il y ait encore de la
saveur à les faire tomber? Il y faut un physique à
peu près convenable mais ni talent ni rouerie.

B.-H. L. : Sur le physique à peu près convenable vous connaissez le mot de Stendhal : «la
beauté, ça fait gagner quinze jours.»

F. G. : Il est de Stendhal? Je dirais plutôt
Talleyrand. Mais peu importe.

B.-H. L. : Cela signifie en tout cas que la beauté,
le charme physique, la prestance, jouent un très
petit rôle.

F. G. : Qu'est-ce qui joue un rôle, alors ? à peine un petit savoir-faire que partagent tous les amateurs de femmes ?

B.-H. L. : Je n'en suis pas sûr non plus. Je sais que les hommes le disent. Ils se le disent entre eux. Ils le disent en société. Les femmes, à les entendre, seraient toutes à prendre, voire à ramasser. Bon. Je vais peut-être vous décevoir. Mais j'ai l'impression, moi, que tout ce petit monde se vante beaucoup et que les choses sont un tantinet plus compliquées.

F. G. : Parce que ?

B.-H. L. : D'un côté, bien sûr, nombre de femmes sont mal aimées, peu ou mal désirées ; et pour peu qu'on y mette les formes, pour peu qu'on déploie les machineries appropriées, elles sont souvent plus disponibles qu'elles n'en ont l'air a priori. Mais attention ! Il y faut les formes, justement ! Et les moyens ! Et les machineries ! Et seuls les imbéciles, ou les vantards, croient qu'elles n'attendent que l'occasion de tomber dans leurs filets. Pas d'accord, autrement dit, avec la théorie du « petit savoir-faire que partagent tous les amateurs de femmes »...

F. G. : Un grand savoir-faire, alors. J'insiste :

quelles sont, chez les hommes, les armes, la stratégie de la séduction? Vous vous souvenez de cet auteur dramatique du début du siècle, célèbre, Henry Bernstein, grand «homme à femmes» devant l'Eternel? Il prétendait qu'aucune femme ne peut résister à l'envoi quotidien d'une corbeille de fleurs... Et sa tactique, apparemment, réussissait... Coûteux, mais efficace. Vous avez déjà essayé ça? Il y a aussi l'envoi de livres, un peu difficiles, montrant qu'on juge une femme capable de les apprécier. Quoi encore?

B.-H. L. : La meilleure des stratégies — si tant est qu'il y ait stratégie — est encore celle qui consiste à «la» faire parler d'elle-même. «Racontez... Racontez encore... Vous êtes un cas si singulier... Un sujet si intéressant...» J'ai souvent observé, oui, que les vrais habiles sont ceux qui donnent ce sentiment — qu'il n'y a rien au monde de plus passionnant que la vie, les émois, les états de l'âme, les passions de la dame qu'ils convoitent... Cela dit, est-ce vraiment stratégie? Les hommes ne se racontent-ils pas beaucoup d'histoires, là aussi, quand ils parlent de stratégie?

F. G. : Elle peut être inconsciente... Non délibérée... Mais il y a toujours stratégie là où il y a désir de conquête... Regardez à nouveau le cas Valmont. Nous venons de dire que c'est la stratégie faite homme !

233

B.-H. L. : Les femmes vont à ceux qui les désirent, voilà la vérité. Il y a tant de faux désirs ! tant de demi-désirs ! tant d'hommes qui, manifestement, font passer les affaires, le pouvoir, le sort du monde, le leur propre, avant le plaisir de conquérir puis de jouir de la proie conquise ! Nous l'avons dit plusieurs fois depuis le début de ces conversations. Le monde se partage, fort inégalement d'ailleurs, entre ceux qui aiment les femmes et ceux qui font semblant. Les intéressées le savent, n'est-ce pas ? Elles le sentent à la minute. Et c'est tout naturellement qu'elles cèdent aux premiers. La stratégie, comme l'intendance, vient après.

F. G. : Assurément. Et comme la séduction est à double sens, je vous dirai qu'il n'est pas mauvais non plus d'aimer les hommes pour leur plaire. Or, ce n'est pas non plus tellement répandu...

B.-H. L. : Justement. Est-ce qu'on peut parler, maintenant, des femmes ? du savoir-faire des femmes ? Si tant est, d'ailleurs, qu'on puisse distinguer et qu'il y ait là deux « machineries » différentes : la séduction des hommes, la séduction des femmes...

F. G. : Il est multiple, ce savoir-faire. Il y a tant d'éléments qui entrent dans la séduction. La grâce naturelle d'abord, bien sûr, mais plus encore la façon dont on en joue. La comédie de la pudeur, ou de l'impudeur, la beauté effarouchée ou conquérante, le rôle des vêtements... Les hommes d'aujourd'hui ne sont pas gâtés par les vêtements modernes qui ne les mettent pas en valeur. Sauf le jean quand il est très bien porté. Mais les femmes n'ont jamais disposé d'un pareil attirail de séduction, selon ce qui leur convient de montrer ou de cacher. Ces jupes si courtes que la tentation est quasi irrésistible de glisser une main dessous, ces jambes qui n'en finissent pas, ces seins à peine voilés, ces pantalons collants, ces étuis qui portent le nom de robes et qui dessinent chaque pouce du corps... A aucune époque, le vêtement féminin n'a été plus provocant sauf peut-être, brièvement, au moment du Directoire... Et c'est un plaisir pour une femme que de jouer le jeu de la séduction à travers ses vêtements. L'une des tristesses de vieillir, c'est de ne plus s'habiller que pour se couvrir.

B.-H. L. : Est-ce réellement une question d'âge ? J'ai toujours été fasciné, moi, par l'élégance des femmes... De toutes les femmes... Et je trouve qu'elle est toujours terriblement séductrice. Mais, bon : vous en parlez mieux que je ne saurais le faire.

F. G. : Et puis il y a le maquillage, bien sûr. Il

fait partie, lui aussi, du jeu de la séduction...
D'ailleurs, il a toujours existé... C'est intéressant,
non, que depuis la nuit des temps, depuis les
Egyptiens, les femmes se soient maquillées? Ça
doit correspondre à quelque chose de profond...

B.-H. L. : « Le plus profond c'est la peau », dit
Valéry.

F. G. : Oui, mais maquillée. La peau maquillée,
recouverte de signes. C'est ce que nous disent les
plus anciennes civilisations.

B.-H. L. : J'ai longtemps professé un amour
sans bornes du maquillage. Une femme non
maquillée me semblait quelque chose d'assez
vulgaire. Et le maquillage, en effet, un signe de
haute culture.

F. G. : Il y a des choses très belles dans
Baudelaire sur le maquillage...

B.-H. L. : Oui, bien sûr. C'est même l'un de ses
textes « théoriques » majeurs.

F. G. : Le crime de Louis XV : exiger de ses
maîtresses une fraîcheur rustique, leur refuser le
maquillage.

B.-H. L. : L'honneur des femmes — par le jeu

du maquillage, «consolider» et «diviniser» la beauté; «se rapprocher de la statue, c'est-à-dire d'un être divin et supérieur».

F. G. : Le maquillage comme artifice...

B.-H. L. : Comme refus du naturel...

F. G. : Pauvre George Sand! Le grand reproche qu'il lui fait, c'est de ne pas se maquiller...

B.-H. L. : Et d'être, du coup, proche, trop proche, et de la nature, et du péché originel.

F. G. : La repoussante «femme Sand»...

B.-H. L. : L'idée est, en fait, qu'un corps n'est «acceptable» que s'il est travaillé, cultivé. Il y a le corps, objet naturel — et il est haïssable. Il y a le corps, artefact culturel — c'est celui qui est adorable.

F. G. : Bataille toujours: une femme, un homme, ne sont beaux que dans l'exacte mesure où l'artifice, c'est-à-dire le maquillage, les arrache à l'animalité.

B.-H. L. : Bref. Sur le principe, je suis évidemment d'accord avec cela. On ne peut qu'être d'accord.

F. G. : Bien sûr.

B.-H. L. : Sauf qu'il y a une question, quand même, que j'ai fini par me poser. Le maquillage ajoute-t-il du sens à un visage, de l'expression ? Ou lui en retire-t-il au contraire ? L'appauvrit-il ?

F. G. : Je serais tentée de répondre qu'il lui retire de l'émotion.

B.-H. L. : C'est finalement mon avis. Mais c'est le contraire de ce que pense Baudelaire.

F. G. : Mais il accuse certains traits. Le regard, par exemple, qui est si important dans un visage... Ou ces bouches sanglantes... Et, donc, l'éclat des dents... C'est important, l'éclat du sourire.

B.-H. L. : C'est la même chose. C'est parce qu'il accuse certains traits que le maquillage appauvrit, simplifie, caricature un visage. Il le rend plus monocorde... Moins équivoque... Oui, voilà... Cela me fait tout drôle de parler ainsi, moi qui ai été si furieusement baudelairien : mais je pense aujourd'hui qu'un maquillage trop travaillé enlève de l'équivoque, de l'ambiguïté à un visage...

F. G. : Donc à la séduction.

B.-H. L. : Donc à la séduction.

F. G. : Encore que l'on puisse, également, dire qu'un maquillage lourd vous met le sexe sur la figure.

B.-H. L. : Ce ne serait pas, en soi, pour me déplaire. Mais je trouve, encore une fois, que cette exhibition est souvent sans subtilité, donc sans charme. Un visage presque nu a plus de volubilité, donc plus de sensualité.

F. G. : Disons qu'un maquillage outré fige, d'une certaine manière, la physionomie.

B.-H. L. : Prenez le cinéma. C'était la théorie d'Eisenstein. Plus un visage est nu, plus il a de chances de véhiculer de signes, de sens.

F. G. : C'est vrai. Rien de plus beau que les visages du *Cuirassé Potemkine*. Ou les visages de Dreyer.

B.-H. L. : Le fin du fin, en réalité, c'est probablement le maquillage qui ne gomme pas, mais simule le naturel...

F. G. : Celui qui ne se voit pas...

B.-H. L. : Et c'est d'ailleurs la raison pour

laquelle je ne déteste rien tant que le spectacle d'une femme se repoudrant en public, à la fin d'un dîner par exemple. Trop évident. Donc trop obscène. Il y a une scène comme ça dans *Mrs. Dalloway* de Virginia Woolf.

F. G. : Oui. Sauf que Virginia Woolf fait l'éloge, elle, de ce trait d'exhibitionnisme. Elle voit dans son audace l'essence de la féminité.

B.-H. L. : C'est vrai.

F. G. : Et puis il y a autre chose. Autant, sur un visage jeune, le maquillage peut être amusant — autant, dès que la fraîcheur a disparu, il peut prendre l'aspect d'un plâtre. Car là, ce qu'il souligne c'est l'âge...

B.-H. L. : La scène de *Mort à Venise* : Aschenbach, à la veille de mourir, allant pour la dernière fois se faire maquiller par son coiffeur.

F. G. : Et ce portrait si cruel, dans *Du côté de Guermantes*, des femmes trop maquillées : des couches de poudre plâtrent le visage ; celui-ci a l'air d'un visage de pierre.

B.-H. L. : Les femmes devraient davantage lire Proust.

240

F. G. : Il faut, quand viennent les années, avoir la main légère. Ne garder que les ombres... Les ombres douces...

B.-H. L. : Stratégie suprême...

F. G. : Le plus joli exemple de stratégie féminine c'est, cela dit, celui que propose Jean Giraudoux... Dans *L'Apollon de Bellac*, vous vous souvenez? Agnès dit qu'elle aime les hommes, leurs yeux de chien, leurs poils, leurs grands pieds, mais qu'elle en a peur. Et le monsieur de Bellac lui répond : « Cela vous intéresserait de les mener à votre guise? Il y a une seule recette infaillible. Dites-leur qu'ils sont beaux. » — « Leur dire qu'ils sont beaux, intelligents, sensibles? » demande Agnès. — « Non. Qu'ils sont beaux. Pour l'intelligence et le cœur, ils savent s'en tirer eux-mêmes. » On ne dit jamais trop aux hommes qu'ils sont beaux, surtout lorsqu'ils ne le sont pas vraiment.

B.-H. L. : Il n'y a pas que les hommes, vous savez. J'ai apporté *Aracœli*, d'Elsa Morante. Ecoutez : « toute créature sur la terre s'offre. Pathétique, ingénue, elle s'offre. Je suis née, me voilà, avec ce visage, ce corps, cette odeur. De Napoléon à Lénine et à Staline, à la dernière putain des rues, à l'enfant mongolien, à Greta Garbo et au chien errant, c'est en vérité l'unique et perpétuelle question de chaque vivant aux autres vivants : je vous parais beau ? »

F. G. : La séductrice la plus talentueuse de son siècle a été Alma Mahler grâce à une technique très personnelle : elle avait une très haute idée d'elle-même et ce qu'elle disait aux hommes, c'était : «du moment que vous plaisez à une femme telle que moi, vous êtes forcément quelqu'un d'exceptionnel. » Ils aimaient. Elle a fait des cartons.

B.-H. L. : Il y a une femme qui lui ressemble aujourd'hui. Si, si, en moins bien mais elle lui ressemble... Je vous dirai qui c'est, mais quand on aura arrêté le magnétophone... Il y a toujours de la surenchère dans la séduction. Cela fait partie du jeu. J'allais dire du rituel. Et ce rituel est, en principe, sans fin...

F. G. : Il s'achève conquête faite. Ou manquée.

B.-H. L. : Là où le jeu commence à être intéressant, c'est quand il se joue à deux. C'est la grande différence, du reste, avec les jeux de l'amour. On peut être seul à aimer. On peut aimer sans retour. C'est du moins ce que vous disiez, n'est-ce pas ? C'est la grande, et terrible, idée de Proust à laquelle vous vous étiez ralliée ? Eh bien impossible de dire cela de la séduction... Inconcevable... Séduire sans retour, séduire sans échange ni duel, séduire sans vis-à-vis qui vous séduise aussi, voilà qui n'a tout bonnement pas de sens...

F. G. : Vous voulez dire que séductrices et séducteurs sont prisonniers l'un de l'autre? qu'ils se nourrissent les uns les autres? Je le crois. Mais est-on, selon vous, séducteur... je dirai presque par nature, parce qu'on ne peut pas s'empêcher de jouer de son charme, d'éprouver son pouvoir ou choisit-on de temps en temps une victime, ou si l'on veut un ou une partenaire de jeu?

B.-H. L. : Il y a des tempéraments séducteurs. Des gens qui pourraient presque dire : «je séduis, donc je suis»; ou, inversement : «je ne séduis plus, donc je suis comme mort (ou morte), comme annihilé (ou annihilée)». Prenez le séducteur de Kierkegaard. C'est ce qu'il dit.

F. G. : Drôle de séducteur, Kierkegaard, entre parenthèses...

B.-H. L. : C'est l'anti-Valmont. Il y a une dimension «spirituelle», chez Johannes, qu'il n'y avait pas chez Valmont.

F. G. : Toutes ses manœuvres de séduction ressortissent à l'esthétisme plus qu'à l'érotisme. Il le dit, d'ailleurs. Si je me souviens bien, il dit : «Je suis un esthéticien.»

243

B.-H. L. : Ce qui est remarquable, dans *Le Journal du séducteur*, c'est l'idée d'une œuvre de séduction qui ne s'achève qu'avec la prise de contrôle, intégrale, de l'être convoité. Les séducteurs habituels manœuvrent. Ils font le siège de la femme aimée. Ils abattent ses dernières défenses. Bref, c'est tout ce fameux vocabulaire guerrier dont on parlait l'autre soir. Alors que Kierkegaard, lui, va plus loin et veut rien moins qu'habiter, coloniser l'âme vaincue. Il dirige ses pensées. Oriente ses sentiments. Il lui injecte de l'amour, ou de la haine, ou encore de l'amour. Il lui inspire une nouvelle résistance. Lui souffle une pudeur. Lui instille une audace charmante ou, au contraire, ridicule. Son vrai projet, autrement dit, n'est pas de posséder son corps ; ni de se rendre maître de son désir ; il est de faire en sorte qu'il n'y ait pas un mouvement de son âme qui échappe à son contrôle. Les despotes grecs, comme vous savez, cédaient devant la géométrie. Les totalitaires modernes s'arrêteront devant le secret des âmes. Lui, le séducteur selon Kierkegaard, ne connaît pas de borne à son appétit de domination. Il est le tyran parfait. Je n'ai pas non plus le texte très à l'esprit. Mais cela aussi le distingue de Valmont.

F. G. : Vous ne m'avez pas répondu, est-on séducteur par nature ? par vocation ?

B.-H. L. : Si, je vous ai répondu...

F. G. : Je ne crois pas...

B.-H. L. : Alors je vais prendre un exemple.

F. G. : Oui?

B.-H. L. : Le vôtre. Vous permettez qu'on parle un instant de vous?

F. G. : Je n'y tiens pas. Mais...

B.-H. L. : Je me souviens de la première fois où je vous ai rencontrée. C'était il y a presque vingt ans, dans un appartement du Marais, chez un écrivain qui devait être un ami commun. Je venais de fonder un journal qui s'appelait *L'Imprévu*. C'était un quotidien. Il n'allait avoir que quelques numéros. Mais enfin, là, il existait. Et je venais, avec Michel Butel, de faire un édito sur vous. Vous deviez être à l'époque ministre de quelque chose. La Condition féminine, je suppose... ou la Culture...

F. G. : J'ai un vague souvenir de ce dîner. Je me rappelle qu'il y avait au sol des carreaux italiens somptueux...

B.-H. L. : J'avais donc fait cet édito. Et il se

terminait, je m'en souviens, par la formule : « Françoise Giroud, ou la douceur de vivre avant la révolution. » J'étais assez ultra-gauche à l'époque. J'y croyais, un peu, à la révolution. Mais je voulais, avant, un peu de douceur de vivre. Bref. L'ami commun a lu l'édito. Il s'est dit : je vais les faire se rencontrer, ces deux-là. Et vous voilà donc, là, chez lui, avec, d'ailleurs, Alex. Oui, il me semble qu'il y avait Alex. On était sept ou huit, et il y avait Alex. Pourquoi je vous raconte cela ? Oui... S'il y a des tempéraments séducteurs... Eh bien, voilà. Vous en étiez un. Manifestement, vous en étiez un. Le souvenir que j'ai gardé de vous, ce soir-là, c'est le type même de la séductrice. Cela se jouait dans le sourire. Le regard. Une extrême attention aux gestes (les vôtres comme ceux des autres). Des coquetteries. La gamme infinie des coquetteries. Et puis des façons, tout à coup, de rassurer votre compagnon, de vous rapprocher de lui, comme pour démentir ce que la séduction avait, ou aurait, pu signifier. Tout cela est très précis dans mon souvenir. De même que cette réflexion que je m'étais faite en prenant congé : « trop coquette, pour faire une vraie carrière politique. »

F. G. : En somme, j'étais sauvée ! Quel calvaire, une carrière politique ! Je n'en ai jamais eu le désir parce que je ne me sentais pas douée pour la vie politicienne qui exige des talents très particuliers mais en tout cas, vous avez raison, coquetterie et séduction sont des handicaps pour une femme, en politique. Pour s'en tirer, elle doit avoir une figure maternelle, donc rassurante, surtout pas séductrice. Voyez comment on l'a fait payer à Michèle Barzach...

B.-H. L. : Je pensais à l'époque qu'il y avait quelque chose d'un peu diabolique dans la séduction et que... D'ailleurs, j'ai tort de dire «je pensais», car d'une certaine façon je le crois toujours...

F. G. : Est-ce que le diable s'en mêle? Rien n'est plus difficile que d'apprécier sa propre séduction, ses propres armes, l'usage que l'on en fait... Le soir du dîner que vous évoquez, je n'étais déjà plus une jeune femme. Mais j'étais aimée de l'homme qui m'accompagnait, et rien ne vous donne un maquillage plus lumineux. Vous ai-je fait un grand numéro de charme? Sûrement, puisque vous le dites. J'ai dû le faire spontanément, parce que vous étiez un beau jeune homme vibrant dont il était amusant de capter l'attention. Pour quoi faire? pour rien? Pour un instant de plaisir, le plaisir de tenir l'autre, fugitivement, sous le charme. Je confesse que j'ai bien aimé ce plaisir au long de ma vie. Et vous aussi, il me semble?

B.-H. L. : Le plaisir du charme. De la séduction pour rien. C'est-à-dire, au fond, de la séduction en tant que telle. On dit parfois d'une femme (ou d'un homme — encore que, comme d'habitude, on hésite à le dire des hommes) que c'est une « allumeuse ». Et il y a dans ce mot, chacun le sait, comme une nuance péjorative. Alors que je crois, moi, qu'on est au contraire là, dans le cas de ces femmes ou de ces hommes, au plus près de l'essence même de la séduction.

F. G. : Allumeuse, c'est vulgaire... Cela évoque un pur manège sexuel. Charmeuse, charmeur, ce sont de jolis mots qui évoquent des attitudes beaucoup plus subtiles. S'offrir *et* se dérober. S'abandonner *et* se refuser. Un drôle de mélange d'enjouement *et* de réticence.

B.-H. L. : C'est un autre désir... Un autre jeu... Et qui ne se confondent pas forcément avec ceux de l'érotisme... Vous me demandiez si j'aime ce plaisir, cette idée de tenir l'autre sous le charme... Les vrais séducteurs aiment cela, évidemment. Ils peuvent aimer l'érotisme et aimer en même temps, sans que les deux choses aillent forcément ensemble, cette manière d'art de la feinte.

F. G. : Est-ce qu'il y a un type d'homme, un type de femme qui suscite l'envie de jouer avec lui au jeu de la séduction? Ou les charmeurs se

248

mettent-ils en mouvement sans véritable discrimination? juste pour éprouver que «ça marche»?

B.-H. L. : Je vous répète ce que je vous disais. L'amour s'empare d'un objet. N'importe quel objet. Il l'élit «objet d'amour» sans qu'il y ait, nécessairement, de raison «objective» à cela. C'est une aventure qui, autrement dit, peut se jouer en solitaire. Alors que la séduction, elle, est un jeu qui se joue à deux. Et qui ne peut se jouer donc qu'avec des partenaires particuliers. A quoi les reconnaît-on, ces partenaires? A une certaine qualité de fantaisie... un certain goût du jeu... un goût, une vraie compétence dans ces rituels de séduction... Les séducteurs, et séductrices, se reconnaissent immanquablement l'un l'autre.

F. G. : Encore une question : est-ce qu'un homme est capable de s'intéresser plus de cinq minutes à une femme dépourvue de séduction? Vous connaissez la phrase terrible de Jules Renard : «on a beau faire, jusqu'à un certain âge — et je ne sais pas lequel — on n'éprouve aucun plaisir à causer avec une femme qui ne pourrait pas être une maîtresse.» Elle sent son XIXe siècle à plein nez. La conversation des femmes, n'est-ce pas... Mais diriez-vous qu'elle est toujours d'actualité?

B.-H. L. : Je vous dirai surtout que j'ai le plus grand mal à m'intéresser, plus de cinq minutes, à un être, qu'il soit homme ou femme, dépourvu de séduction.

F. G. : Ce n'est pas d'une séduction vague, générale, diffuse que parle Jules Renard, d'une séduction qui pourrait être celle du cœur ou de l'esprit. Il dit : une femme qui ne pourrait pas être ma maîtresse... En bon français d'aujourd'hui, vous savez comme on dirait cela.

B.-H. L. : Je vous ai déjà répondu là-dessus, il me semble. C'est moche. C'est vulgaire. C'est tout ce que vous voudrez. Mais c'est vrai que je ne crois pas à l'amitié entre hommes et femmes et que, lorsqu'il n'y a pas d'ambiguïté possible, la relation me semble, comment dire ? inutile, vaine. J'ajoute à ma décharge (et cela aussi je vous l'ai dit) que je conçois d'éprouver un désir très vif pour une femme qui ne soit pas belle.

F. G. : Nous avons négligé une situation plus ambiguë, celle de l'homme acharné à séduire une femme parce qu'elle est la compagne d'un homme qui le subjugue, auquel il veut en quelque sorte se substituer.

B.-H. L. : Ce n'est pas si ambigu. Ni si exceptionnel...

F. G. : Non?

B.-H. L. : C'est toute la théorie (dont il me semblait que nous avions parlé) du désir mimétique, triangulaire, etc. Si c'est cela le désir, si cela se machine ainsi, il est à peu près inévitable qu'intervienne un tiers dans la danse. Je me souviens, il y a quelques années, avoir publié un article qui s'appelait : « On fait toujours l'amour à trois. » Ça avait un peu choqué. C'était pourtant l'évidence. Et qu'il soit, ce troisième personnage, un homme qui subjugue l'homme (ou une femme qui fascine la femme) n'est jamais qu'une variante un peu simple de cette structure générale immuable.

F. G. : Et l'objet d'amour? Le choisit-on en fonction d'un type constant? Autrement dit, a-t-on un « genre de femme », un « genre d'homme » qui fait vibrer instantanément quelque chose? Tout le monde connaît la phrase fameuse de Swann : « dire que j'ai gâché ma vie, que j'ai voulu mourir, que j'ai eu mon plus grand amour pour une femme qui ne me plaisait pas, qui n'était pas mon genre. » C'est tout de même exceptionnel, il me semble.

B.-H. L. : Alors qu'Odette, vieillissante, dit très exactement l'inverse : « pauvre Charles, il était si intelligent, si séduisant, exactement le genre d'homme que j'aimais. »

F. G. : Mais elle, Odette, n'a pas aimé Swann.

B.-H. L. : Vous dites, c'est exceptionnel. Je vous ferai remarquer que c'est aussi la première phrase d'*Aurélien*, le roman d'Aragon. « La première fois que je vis Bérénice, je la trouvai franchement laide. »

F. G. : On peut désirer une laide, nous l'avons déjà évoqué.

B.-H. L. : Ce que nous disent, et Proust, et Aragon, c'est que le désir est toujours improbable. Les gens croient qu'ils ont un type. Ils le guettent. Ils l'attendent. Ils surveillent, en eux-mêmes et hors d'eux, tous les signes de la passion annoncée. Ils se disent : « je suis voué, ma vie durant, à d'infimes variations sur un type prédéfini. » Et puis non. Ce n'est pas cela. Le désir arrive, oui. Mais par l'autre bout. Comme à revers.

F. G. : En avez-vous fait l'expérience ? Autrement dit, avez-vous été fidèle à un type de femmes ou au contraire éclectique ?

B.-H. L. : Je serais bien en peine de vous dire ce qui rassemble les femmes que j'ai aimées. Un type physique? Sûrement pas. Une vision du monde? Encore moins. Une part de moi-même, toujours la même, qu'elles auraient toutes sollicitée? Pas davantage. Vraiment, non. Ce fut divers au contraire. Multiple. Jusqu'à la femme avec qui je vis aujourd'hui, que j'aime comme aucune autre et dont j'ai commencé par penser, moi aussi : «elle n'est évidemment pas mon genre...»

F. G. : C'est quoi votre genre?

B.-H. L. : Et vous? Type? Pas de type? Situation Swann? Pas Swann?

F. G. : C'est plus compliqué. D'abord il y a le physique auquel je suis excessivement sensible, sans doute. Il y a des types physiques qui peuvent être séduisants pour d'autres, qui le sont mais auxquels je suis violemment réfractaire. Devant lesquels je me rétracte. Et puis, plus profondément, il y a ce qui m'attire, et que je retrouve, oui, chez les hommes que j'ai aimés, la posture psychologique dans laquelle je me suis trouvée en face d'eux... Stendhal dit que l'amour aime à première vue une physionomie qui indique à la fois dans un homme quelque chose à respecter et à plaindre... Cela me paraît subtil et juste, du moins en ce qui me concerne. Cela ne définit pas exactement un type d'homme, mais tout de même, une constante...

B.-H. L. : Proust dit en fait deux choses. La première m'intéresse moyennement : ces femmes qui ne sont « pas notre genre », on ne les voit pas venir ; on ne s'en méfie pas ; alors elles s'installent dans notre vie ; l'investissent tout à loisir ; et finissent par se faire aimer. Mais il a cette seconde thèse, que je trouve beaucoup plus vraie : je crois qu'elle n'est pas mon genre ; j'ai l'impression qu'elle ne m'est pas accordée ; alors que, en réalité, elle l'est bien sûr ; qu'elle l'est même en profondeur ; mais à une profondeur si extrême qu'il était presque impossible de s'en aviser au premier regard — dans l'énigme de mon amour pour Odette n'y a-t-il pas sa ressemblance avec un Botticelli ? et l'aurais-je tant aimée si elle avait ressemblé à un Rubens ? Les femmes qu'on aime, en d'autres termes, seraient toujours notre genre. Même s'il n'est pas. ce genre, toujours lisible à l'œil nu...

F. G. : Eh bien, une fois de plus, je suis d'accord avec Proust. Même si la vie est longue, et si, à certaines périodes, on peut prendre des distances avec son « genre ». Mais pas pour aimer de passion. De la passion qui vous submerge.

B.-H. L. : C'est drôle, cette histoire de Proust.

F. G. : Comment cela ?

B.-H. L. : Cela n'a rien à voir avec ce qu'on raconte. Mais je me disais, en vous écoutant : c'est quand même extraordinaire que, non seulement vous et moi, mais tous ceux qui réfléchissent sur l'amour, se réfèrent constamment à Proust. Il pensait, lui, que les pages essentielles de *La Recherche* seraient les pages sur l'affaire Dreyfus... Ou qu'il resterait comme un chroniqueur de ce Paris de la Plaine Monceau qui le fascinait tant... Ou bien encore ce qu'il disait de la peinture... Ou de la littérature... Ou de la critique... Mais non ! c'est du côté de l'amour que c'est tombé ! Ce solitaire, cet homosexuel, cet homme dont Léon Pierre Quint raconte les habitudes plutôt... hétérodoxes, a fini par devenir le grand théoricien des rapports amoureux entre hommes et femmes...

F. G. : Pourquoi pas ? L'amour est enfant de Bohême qui n'a jamais connu de loi, comme on chante dans *Carmen*. Je ne crois pas qu'il y ait d'amour hétérosexuel et d'amour homosexuel. Il y a quelque chose qui s'appelle l'amour, point à la ligne. Où l'un aime toujours plus que l'autre, est toujours plus jaloux que l'autre, se trouve toujours sous le pouvoir de l'autre. Où il est celui qui attend à côté du téléphone, comme dit Barthes, qui en connaissait aussi un bout de ce côté-là. C'est ce rapport-là que Proust a exploré comme personne et il n'y a aucune raison de penser qu'il est différent dans les relations homosexuelles.

B.-H. L. : Pour moi, c'est le grand mystère. Contrairement à vous, je trouve que c'est vraiment très, très mystérieux. D'un côté, j'ai tendance à croire que l'homosexualité implique une vision du monde et, à plus forte raison, une sexualité de nature singulière. Le corps de l'autre... Son propre corps... Le type de fétichisme que cela met en œuvre... La ressemblance... L'identité... Imagine-t-on, par exemple, des *Nourritures terrestres* dont le héros ne serait pas un homme ? Est-ce que ce n'est pas, typiquement, un texte homosexuel ? De l'autre côté, il y a Proust en effet — dont l'Albertine s'appelle Agostinelli et qui n'en écrit pas moins la bible des amoureux ; il y a Barthes et ses *Fragments* qui n'ont, comme chacun sait, pas de sexe ; Gabriel Rossetti qui, pour ses plus jolies femmes, prenait des jeunes hommes comme modèles ; bref il y a cette évidence d'une sensualité qui fonctionne dans les deux sens...

F. G. : Il n'y a pas d'étrangeté dans le partenaire... Mais quel trouble que le corps jumeau... Ce qui se passe dans la tête est différent. Ce qui est purement érotique est, probablement, d'une autre nature. D'une nature impénétrable à qui n'est pas soi-même homosexuel. Mais les senti-

256

ments — et de quelle violence ! — sont les mêmes, j'en suis persuadée.

B.-H. L. : Pour Proust, en tout cas, cela n'a jamais fait de doute. Qu'Albertine s'appelle Albert ne le gênait nullement. Et que le baron de Charlus, quand il lit *La Nuit d'octobre* de Musset, donne à la belle infidèle le visage de Morel, ne le surprend pas non plus.

F. G. : Non. Car il pense qu'il y a deux manières d'avoir, comme il dit, «accès aux vérités de l'amour». Et que ces deux manières sont, proprement, indifférentes.

B.-H. L. : Un ami me disait l'autre jour : tout est pareil ; l'attente, en effet ; la jalousie ; le désir et la peur ; la douceur et la violence ; l'amour plus ou moins réciproque ; la séduction ; oui, tout ; mais à une réserve près quand même : ce sentiment si important chez les hommes qui aiment les femmes et qui est la peur (doublée, parfois, d'un secret plaisir) de voir se flétrir l'être aimé. Les homos vieillissent ensemble. J'allais dire : du même pas. Alors qu'entre les hommes et les femmes, cela reste, quoi qu'on en dise, l'inégalité fondamentale.

F. G. : Les homosexuels souffrent affreusement de vieillir au contraire, ils pratiquent les liftings, les implants quand ils commencent à perdre leurs cheveux, que sais-je... Je crois qu'à cet égard, la remarque de votre ami n'est pas exacte. Plus généralement, l'inégalité entre hommes et femmes devant l'âge est pur scandale quand on y songe... J'ai toujours pensé que, passé le moment où elles sont encore désirables, moment variable et qui a d'ailleurs beaucoup reculé, les femmes devraient pouvoir devenir des hommes. Au lieu de quoi... Vous vous souvenez de Musset, *Les Caprices de Marianne* : « quel âge avez-vous, Marianne ? Dix-huit ans ? Il vous reste cinq ou six ans pour être aimée, huit à dix pour aimer vous-même et le reste pour prier Dieu... » Au lieu de quoi, donc, avec la prolongation de la vie cette horreur, il leur reste une éternité à vivre comme des zombis.

10

DU COUPLE COMME VOLONTÉ
ET REPRÉSENTATION

F. G. : On continue encore un peu?

B.-H. L. : Nous avons la soirée.

F. G. : Cette expérience que nous avons accumulée, moi plus que vous, mais vous largement, sur les sentiers de l'amour, on aimerait quelquefois qu'elle ne soit pas inutile... Qu'elle épargne à d'autres des faux pas, des blessures, que sais-je... Qu'elle leur fasse parfois «gagner quinze jours»... Mais je crains que, comme toutes les expériences, celle de l'amour ne soit intransmissible. On peut donner et recevoir des «leçons de vie». Pour ma part, j'en ai reçu. Mais dans le domaine particulier des relations amoureuses, je crois que l'on ne peut rien enseigner, jamais. Est-ce aussi votre sentiment?

B.-H. L. : Oui, oui. Je crois, moi aussi, que l'on ne transmet rien. Enfin, presque rien.

F. G. : C'est cela.

B.-H. L. : Soi-même, déjà. On passe sa vie à recommencer. On fait cent fois les mêmes erreurs. On se dit : «la vie m'a appris ceci... il y a cela que je ne ferai plus...». Et, évidemment, on le refait. On le refait indéfiniment. Alors enseigner aux autres... Comment voudrait-on enseigner quoi que ce soit aux autres ?

F. G. : J'aimerais que vous ayez tort. Mais hélas...

B.-H. L. : Il y a des choses dans Platon. La grâce, dit-il, ne s'enseigne pas. A plus forte raison, la grâce de l'amour.

F.G. : La grâce, sûrement pas. Mais des petites choses comme cela... Ce conseil de Stendhal, par exemple : «Il faut avoir un mari prosaïque et prendre un amant romanesque.» Leçon à retenir ?

B.-H. L. : Je me demande... Si j'avais un conseil à donner, ce serait plutôt le contraire : un mari romanesque et un amant prosaïque.

F.G. : Et la formule de Freud : «Un homme qui doute de son propre amour peut — ou plutôt doit — douter de toute chose moins importante...»

B.-H. L. : C'est déjà mieux.

F.G. : Et ceci : « Je crois que si une femme réussit à se dérober à la masse, à s'élever au-dessus d'elle-même, elle grandit sans cesse et plus que l'homme ! » De qui est-ce, selon vous ?

B.-H. L. : Aucune idée.

F.G. : Je vous le donne en mille. Du misogyne chef, Schopenhauer. Alors, on peut le croire...

B.-H. L. : Ou se méfier. A votre place, je me méfierais...

F.G. : Et le constat fameux de Napoléon, « la seule victoire en amour, c'est la fuite », vous n'auriez pas envie de l'écrire à la tête de votre lit ?

B.-H. L. : Envie ou pas, nous l'avons tous, hélas, souvent fait. Quant à en donner le conseil aux autres...

F.G. : Imaginez que votre meilleur ami vous présente une créature louche et boiteuse en vous disant : « j'en suis fou et j'vais l'épouser... » Si vous lui répondez : « tu ne l'as pas regardée... », vous êtes brouillé avec lui pour l'éternité.

B.-H. L. : Je ne lui répondrais jamais cela. Je

sais trop, encore une fois, ce qu'a de contingent le choix d'une femme aimée...

F.G. : Rien de plus mystérieux, de toute façon, que les amours des autres... Le choix qu'ils font de leur partenaire nous est le plus souvent incompréhensible...

B.-H. L. : Nos choix nous sont incompréhensibles à nous-mêmes... Comment ne le seraient-ils pas aux yeux des autres?

F.G. : Je dirais au contraire que nos propres choix nous semblent évidents. Ce sont les autres qui les trouvent parfois saugrenus.

B.-H. L. : C'est vrai, on reste souvent interdit devant les moteurs, les ressorts, les objets de la passion d'autrui. Cette femme qu'il prend pour une sainte... Cette autre qui prétend l'aimer et qui, manifestement, lui joue la comédie... Ces femmes d'argent... Ces courtisanes déguisées... Les mensonges qu'elles leur servent et qu'ils avalent si naïvement...

F. G. : Les mensonges qu'elles leur servent et qu'ils leur servent, s'il vous plaît...

B.-H. L. : Bien sûr.

F. G. : Faut-il, d'ailleurs, parler de mensonge? C'est plus subtil, il me semble... C'est une épaisseur... Une forfanterie... Mais on ne comprend pas, c'est vrai, que l'autre y soit aveugle...

B.-H. L. : Souvent on se demande : « mais enfin qu'est-ce qu'il lui trouve? cet homme par ailleurs brillant, puissant, tout ce qu'on voudra, d'où vient qu'il se soit laissé vamper par cette créature absurde? »

F. G. : Et d'où vient qu'elle se soit laissé ensorceler par ce bavard prétentieux? Allez savoir... Pourquoi s'enchaîne-t-on à celui ou celle, si mal assorti aux yeux de l'observateur, et qui fera votre malheur?

B.-H. L. : La réponse est dans Proust. Elle est, *une fois de plus*, dans Proust. En amour, dit-il, tout est « dans l'esprit » — rien « dans l'objet ». Et la grande erreur des gens est de mettre « dans la personne aimée » ce qui n'est, en réalité, que « dans la personne qui aime ».

F. G. : C'est *La Fugitive*. La « matière » de l'amour est « indifférente ». Tout « y peut être mis par la pensée ». D'où les réveils douloureux. L'amant guéri qui, après coup, ne comprend plus la force de son attachement. Qu'est-ce qui m'a pris? Qu'est-ce qui, diable, m'a attiré en elle?

B.-H. L. : Proust prend deux exemples. Celui, classique, de l'«inverti» qui fait «émigrer toute la beauté sous la casquette d'un contrôleur d'omnibus». Et puis celui, plus bizarre, de la «germanophilie» du baron de Charlus — alors que lui, le narrateur, déteste l'Allemagne. Les amants, dit-il, c'est comme les pays... Mieux : c'est comme la politique... Les sentiments qu'ils inspirent sont aussi absurdes, aussi peu fondés en raison, que l'attirance pour un pays ou une opinion politique.

F. G. : En sorte qu'il vaut mieux renoncer à les comprendre...

B.-H. L. : Ou faire de très grands efforts au contraire. Mobiliser des instruments bien plus fins, qui puissent pénétrer les zones les plus obscures de la psychologie d'un homme.

F. G. : Il y a d'autres cas, cela dit. Il y a, heureusement, des gens pour qui la question ne se pose pas. On ne se dit pas : «mais qu'est-ce qu'il lui trouve?» Mais : «comme ils vont bien ensemble — comme ce couple est réussi!» C'est de cela, de ces situations plus heureuses, que je voudrais que nous parlions pour terminer.

B.-H. L. : Il y a deux familles, au fond. On le voit bien, chez les écrivains.

F. G. : Une fois de plus...

B.-H. L. : Bien sûr. D'un côté la tribu — qui est la moins fréquentée — de ceux qui sont tombés juste. Baudelaire avec la Duval. Scott Fitzgerald et Zelda.

F. G. : Tombés juste ? Vous pensez vraiment que Scott est tombé juste avec Zelda ?

B.-H. L. : En un sens, oui. Car regardez-les ensemble. On ne peut pas ne pas songer : « il y avait une Zelda sur la planète ; une seule ; il fallait que Scott tombe dessus ; il est tombé dessus ; ce qui est, soit dit en passant, très exactement la définition de la femme fatale ».

F. G. : Et ce qui, soit dit en passant aussi, n'était manifestement pas un cadeau.

B.-H. L. : En face, il y a les autres. La foule immense des autres. Tous ceux dont les biographes s'acharnent — le plus souvent en vain — à déchiffrer le sens des attachements. Mallarmé et Madame. Joyce et la pauvre Nora. Verlaine et la bourgeoise qui finit par supplanter Rimbaud. Proust bien sûr — et Agostinelli. Tant et tant d'autres. Comme si la règle, oui, était celle de la mauvaise rencontre. Elles le sont toutes, mauvaises, vous me direz ? Plus ou moins, tout de même. Il y a vraiment des cas — la plupart des cas — où on a l'impression que le destin s'est trompé d'affectation.

F. G. : Il y a aussi l'étonnant couple Zola...

B.-H. L. : Et tant d'autres !

F. G. : Ce serait une interprétation rassurante, le destin. La fatalité. Une puissance supérieure. Mais on peut craindre que le destin n'y soit pour rien et que ceux que vous citez ne pouvaient pas «tomber» bien. En aucun cas. Que quelque chose d'intime les a mal dirigés... Encore que je ne dirais pas cela de Joyce et Nora...

B.-H. L. : Le cas Joyce est intéressant. Car Nora Barnacle est notoirement inculte. Indifférente à l'œuvre de son mari, comme à la littérature en général. Mais elle a ce nom, qui frappe Joyce. Cette docilité, qui le comble. Cette façon de se prêter, de si bon gré, à ses caprices les plus fous. Elle a cette banalité vertigineuse. Ce conformisme passionnant. Et elle finit — à son propre insu — par inspirer Molly Bloom...

F. G. : Conformisme, conformisme... Vous avez lu ses lettres ? Elle avait un fameux tempérament, en tout cas, Joyce lui a tout piqué. Il l'a phagocytée... Mais qu'est-ce qui fait qu'une

femme «inspire» un créateur... Et faut-il considérer cela comme un privilège ou comme une
catastrophe... On peut s'interroger.

B.-H. L. : Privilège ou catastrophe pour qui?

F. G. : Pour la femme, bien sûr.

B.-H. L. : Ah... Cela dépend. Quand c'est
Zelda, c'est une catastrophe. Quand c'est Gala, un
privilège...

F. G. : Gala est un cas. Très intelligente, très
âpre, très méchante... Entre Eluard, Max Ernst et
surtout Dali, elle a réussi à combler à la fois son
avidité de gloire et son avidité d'argent. Mais
peut-on comparer l'inspiratrice d'un peintre et
celle d'un écrivain? Ce n'est pas tout à fait la
même chose...

B.-H. L. : Pourquoi?

F. G. : L'inspiratrice d'un peintre, c'est généralement son modèle. Plus elle est passive, docile,
immobile, mieux c'est. Alors que l'inspiratrice
d'un écrivain... Allez savoir par où ça passe...
Ce qu'elle dit... Ce qu'elle écrit, comme Nora
Barnacle...

B.-H. L. : Ou bien ce qu'elle ne dit pas... Ce

qu'elle n'écrira jamais... L'inspiratrice d'un écrivain ne sait pas elle-même, le plus souvent, pourquoi, comment, par quels canaux mystérieux elle stimule son imaginaire...

F. G. : Oui, probablement.

B.-H. L. : Un écrivain épie son modèle... Le pille... Souvent, il le fait au corps défendant dudit modèle... Ce qui veut dire que le cas n'est pas tellement différent, dans le fond, de celui de la muse du peintre. Elle est, elle aussi, sinon passive du moins inconsciente de son rôle.

F. G. : Encore que l'inspiratrice revendique volontiers son rôle. Il lui arrive d'en être fière.

B.-H. L. : Ou jalouse, terriblement jalouse, quand une autre la supplante. La « demande » d'entrée dans le roman est si forte ! La concurrence, si âpre !

F. G. : Jusqu'au jour — autre cas de figure — où la muse se révolte. Vous parliez de Zelda. N'est-ce pas le cas de Zelda ?

B.-H. L. : C'est le cas de l'inspiratrice qui n'inspire plus et qui, pour conserver ce qui peut l'être de son pouvoir défunt, décide de tout fiche en l'air ! d'empoisonner l'œuvre de l'écrivain, comme on empoisonne un puits ! Zelda inspire Scott. Puis fait tout ce qu'elle peut pour l'empêcher d'écrire.

F. G. : Zelda est pathétique parce qu'elle est devenue folle. Mais il faut se mettre à la place de l'égérie qui ne sait pas que Fitzgerald est Fitzgerald ou que Joyce est Joyce... Pour qui ces hommes sont simplement des machines écrivantes... Nora était une bonne fille et Zelda une emmerdeuse. Mais dans les deux cas, et bien qu'elles soient à l'opposé l'une de l'autre, quelle vie que celle d'égérie si elle n'est pas soutenue par l'idée que l'homme est un génie !

B.-H. L. : Je ne suis pas de votre avis. Zelda sait que Fitzgerald est Fitzgerald. Seulement voilà : un beau jour elle en a assez — et décide de jouer, elle aussi, sa carte. Elle se dit : « il m'a pillée ; vampirisée ; de ma chair, de mon sang, il a fait une œuvre littéraire ; pourquoi n'essaierais-je pas, à mon tour ? pourquoi ne reprendrais-je pas mon bien afin d'en faire, moi aussi, des livres ? »

F. G. : On comprend sa réaction, vous ne croyez pas ?

B.-H. L. : Elle fouille dans les papiers de Scott. Elle y prend le canevas d'un futur roman où elle se retrouve plus que jamais. Elle dit : « non ! pas question ! il est à moi, ce roman ! c'est à moi, cette fois, de l'écrire ». Elle l'écrit. C'est *Accordez-moi cette valse*. La critique, méprisante, tranche : « bof ! du sous-Fitzgerald ! » Et c'est à ce moment qu'elle devient folle.

F. G. : Là aussi, il y avait de quoi.

B.-H. L. : Ce qui est intéressant, dans ce cas Zelda, c'est qu'elle rompt le pacte.

F. G. : Quel pacte ?

B.-H. L. : Le pacte d'immortalité. Celui qui dit à une femme : « tu renonces à ton œuvre, tu cèdes sur ton propre désir — et je fais de toi, en échange, le personnage d'un grand roman ; mieux : la figure centrale de ce vrai roman que sera ma vie ; je te donne, en tout cas, ton passeport pour la postérité, un visa pour l'éternité. » Gala, méchante ou pas, marche. Zelda, elle, se rebelle. Avec le cas intermédiaire d'une Triolet qui joue sur les deux tableaux : muse de grand écrivain, immortalisée dans ses poèmes — mais continuant (on ne sait jamais !) à poursuivre une petite œuvre.

F. G. : Un cas intéressant est celui d'Alma Mahler. Elle n'a jamais cru, une seconde, au génie de son mari. Elle n'aimait que Wagner et détestait sa musique. Dans ce cas-là, la cohabitation avec un créateur est infernale.

B.-H. L. : Là, j'avoue que je connais moins bien...

F. G. : C'est une histoire exemplaire. Elle avait beaucoup travaillé la composition et son talent était indéniable. Mais quand ils se sont fiancés, Mahler lui a dit : « le compositeur, c'est moi. Tu n'as désormais qu'une seule profession : me rendre heureux. » Il le lui a écrit dans une lettre fameuse qui était d'autre part un cri d'amour mais où il la sommait de renoncer à ses propres travaux... Elle a accepté, ce que vous appelez le pacte. Elle s'est mutilée. Elle est devenue celle qui recopiait les partitions de son mari. Mais jamais, jamais elle n'a cru au génie de son mari. A partir de là, elle l'a trompé, et c'est lui qui, de douleur, a failli perdre la raison. Même si, évidemment, il a fait, de sa douleur, de la musique et de la meilleure...

B.-H. L. : C'est bien la lettre qui commence par le fameux : « là-dessus, mon Alma, il faut que les choses soient claires entre nous dès à présent » ? Celle où il parle d'une « rivalité » qui deviendrait, avec le temps, « ridicule » et « dégradante » ?

F. G. : Oui. Plus tard, Alma sera la maîtresse de

271

Kokoschka le peintre, à qui elle en fera baver aussi, mais qu'elle inspirera superbement et qu'elle marquera pour toujours. Mais elle n'a jamais renoué avec la composition. Elle a été mutilée à vie par Mahler.

B.-H. L. : Bon. Tout cela est monstrueux, bouleversant, tout ce que vous voudrez... Mais pourquoi est-ce qu'Alma accepte ? Quel compte y trouve-t-elle ?

F. G. : Alma est très jeune quand elle accepte la sommation de Mahler, et il est le très célèbre chef d'orchestre qui l'impressionne énormément. Elle pense sans doute qu'elle le fera changer d'avis, je ne sais pas...

B.-H. L. : Autre question : son talent. Etes-vous si certaine que cela de la réalité de son talent ?

F. G. : Il y en a des preuves concrètes, des lieder de tout premier ordre. Ce n'était pas une petite fille qui faisait joujou avec la musique mais une grande musicienne... Mahler en est convenu d'ailleurs, plus tard.

B.-H. L. : Parce qu'il y a aussi le coup de Camille Claudel, hein. On a beau nous faire pleurer sur la tragédie de Camille Claudel, ce n'est quand même pas Rodin — vous êtes d'accord ?

272

F. G. : Je vous reconnais bien là, mais ce n'est pas la question. Il y avait de la place sous le soleil, et pour l'un et pour l'autre.

B.-H. L. : Ce n'est pas une question de «place au soleil».

F. G. : D'où vient le droit que l'on s'octroierait d'asphyxier un artiste au bénéfice d'un autre? de le conduire au désespoir? à la folie? Et comme par hasard, cela se produit toujours au détriment des femmes. Il n'y a pas eu, que je sache, de jeunes hommes écrasés et rendus fous par Rodin ou par Mahler, même si leur production a été d'un intérêt inférieur...

B.-H. L. : Il y a les hommes de George Sand. Ou ceux de Germaine de Staël. Ce ne devait pas être de la tarte non plus, d'être un jeune écrivain et d'être amoureux de George Sand ou de Madame de Staël.

F. G. : Le fait est qu'elles les ont avalés. Mais ce sont plutôt de grandes croqueuses d'hommes que des femmes inspirées par des hommes, et les écrasant.

B.-H. L. : Tout cela est vieux comme le monde, Françoise — et n'a rien à voir avec ces histoires

d'hommes et de femmes. Ce serait trop simple...
Trop facile... L'histoire de la littérature est pleine
d'artistes — des deux sexes — écrasés par leur
époque... Baudelaire par exemple. J'ai écrit un
roman sur Baudelaire, qui est le type même du
poète insulté, piétiné, brisé par son époque et, à
l'intérieur de ladite époque, par notamment
Victor Hugo. C'est une règle générale, hélas. Dans
ce monde-là aussi, l'homme est un loup pour
l'homme...

F. G. : Et de tous les loups, les artistes sont
peut-être les plus cruels tant la rivalité leur est
insupportable, tant on se veut le plus grand,
l'unique, l'incomparable.

B.-H. L. : Ce qui n'est pas net, dans le cas
d'Alma, c'est que, jeune fille déjà, elle rêvait de
jardins et d'ateliers où elle réunirait « les hommes
les plus remarquables » de son temps. Mahler
donc. Kokoschka. Mais aussi Klimt, Werfel, j'en
passe sûrement. Alors la question c'est : est-ce
qu'à ce degré d'acharnement on peut encore parler
de sacrifice ? de mutilation ? est-ce qu'il n'y a pas
là quelque chose qui ressemble à un désir ? une
vocation ? un destin ? est-ce que le cas d'Alma,
autrement dit, ne renforce pas encore l'hypothèse
du pacte d'immortalité et de l'intérêt qu'une
femme peut y trouver ?

F. G. : Je ne vois pas bien l'intérêt du pacte d'immortalité. Je conçois qu'on le contracte, par amour, par conviction que l'on a en face de soi un génie dans quelque domaine que ce soit — Jenny Marx en face de Karl par exemple — qui vous transcende... Mais ce sont des vies terribles, le plus souvent, les vies de ces femmes... Pas toujours, pas quand elles sont soutenues par l'idée de l'œuvre à accomplir. Mais quand elles doutent de sa grandeur... C'est là où Alma mérite compassion.

B.-H. L. : Sans doute.

F. G. : En fait, de tous ces couples plus ou moins célèbres dont nous avons parlé, aucun ne me paraît enviable, en tout cas du point de vue de la femme sacrifiée, fût-ce de son plein gré, sur l'autel de la création. Ce n'est pas l'idée que je me fais d'un couple réussi.

B.-H. L. : Oh ! Un couple réussi...

F. G. : C'est de là que nous étions partis : les couples réussis...

B.-H. L. : C'est vrai. Mais je n'aime pas le mot.

F. G. : Disons les choses autrement, alors. Observez le sentiment délicieux d'harmonie entre complémentaires que donnent parfois un homme et une femme quand ils sont heureux, qu'ils aiment leur bonheur, et qu'ils paraissent incarner la virilité et la féminité associés, réconciliés.

B.-H. L. : Associés... Réconciliés... On ne va pas recommencer la discussion !

F. G. : Il s'agit parfois de couples célèbres. D'artistes par exemple. Disons Bogart et Bacall pour situer les choses. Ou Cassavetes et Gena Rowlands. D'autres ne sont pas forcément connus du public. Ils ne sont pas forcément jeunes. Mais ils existent fortement pour leur entourage. Ils existent ensemble comme une œuvre. Il y en a en eux une force. Quelque chose de radieux, de souverain.

B.-H. L. : Souverain, oui. Je préfère que nous disions souverain.

F. G. : Ça ne dure peut-être pas pendant trente ans, mais tout de même... Le plaisir d'être ensemble, le respect réciproque, les intérêts communs, une bonne résistance à la corrosion de la réalité même si personne ne peut vraiment la tenir à distance...C'est rare, je vous le concède, mais ça existe...

B.-H. L. : Dans vos «couples réussis», il y a

souvent un côté : «on a traversé tant d'orages... surmonté tant de crises... et voyez, pourtant, comme nous sommes... admirez comme nous avons résisté... tenu bon... vieux couple recru de mensonges, mutuellement tenu par tout un écheveau de demi-aveux et de secrets honteux...» C'est évidemment moins glamour.

F. G. : Là vous parlez du tableau d'honneur de la longue durée. Ces couples qui portent leurs infidélités, leurs trahisons, leurs frasques oubliées, comme autant de blessures de guerre. «Regardez toute l'eau que nous avons su mettre dans notre vin.» C'est lugubre. Mais il reste qu'un couple réussi, c'est très beau. Allons, vous le savez bien !

B.-H. L. : Mettons qu'il y ait des gens, parfois, pour concilier l'inconciliable.

F. G. : Voilà.

B.-H. L. : C'est-à-dire non pas «le» féminin avec «le» masculin — cela, vraiment, je n'y crois pas. Mais — comment dire? — les exigences, les intrusions, les dures lois de la réalité avec le principe de plaisir...

F. G. : Aussi longtemps qu'on a envie, vraiment envie l'un de l'autre, on a assez de force pour tenir en respect les lois de la réalité, ou plutôt pour ne pas se laisser entamer.

B.-H. L. : Je vous disais hier qu'on pouvait distinguer l'amour, la séduction et l'érotisme. Eh bien mettons qu'un couple souverain ce soit cette séparation surmontée, cette fatalité vaincue — mettons que ce soit deux êtres entre lesquels l'amour n'a fait son deuil, ni de l'érotisme évidemment, ni des exigences de la séduction.

F. G. : Je ne comprends pas ce que vous appelez les exigences de la séduction ?

B.-H. L. : Il y a, dans toute histoire d'amour, un moment de la séduction. Soit, qu'on le veuille ou non, le moment où l'on joue, pose, truque ou illusionne. Il y a cet instant, oui, généralement très intense, où l'on déploie des efforts inhumains pour apparaître autre qu'on n'est. Ça a l'air de vous étonner ?

F. G. : Non, non, je vous écoute.

B.-H. L. : C'est, depuis le serpent de la Bible, le sens le plus constant de la « séduction ». C'est l'idée, le projet même du séducteur : choisir un leurre, le bâtir, puis avancer derrière le masque qu'il offre, le brandir, se cacher derrière lui — éblouir, en un mot, pour ne pas être vu...

278

F. G. : Le « projet », le mot est un peu fort. Mais admettons : on montre son meilleur profil.

B.-H. L. : Voilà. Eh bien, arrive toujours, je ne dirais pas le moment de vérité, mais celui où, forcément, se dissipent les leurres les plus criants. Ce sont les moments de la vie. Les moments de trivialité. C'est le jour où, par exemple, les amants découvrent qu'ils ont sommeil. Ou mal à la tête. Ou, simplement, le teint fané après une nuit d'amour un peu fiévreuse.

F. G. : Le sommeil, ce n'est pas trivial. Le sommeil est jumeau de l'amour.

B.-H. L. : Oui ? C'est vrai... Mais je n'aime pas le sommeil... Le spectacle du sommeil...

F. G. : Parce que l'autre vous échappe ?

B.-H. L. : Je ne sais pas... Je n'aime pas l'abandon que suppose le sommeil...

F. G. : Bon. Ces moments de trivialité, donc...

B.-H. L. : L'instant, oui, où les amants constatent qu'ils ont un corps qui n'était pas seulement fait pour les caprices et vertiges de l'amour. A partir de là deux solutions. Il y a ceux — la plupart

— qui jouent cartes sur table : «bon; voilà; on mentait; pauvres fous que nous étions! ridicules comédiens! on ne nous y reprendra plus! on joue maintenant vérité vérité.» Et puis il y a ceux qui, à l'inverse, choisissent de continuer, de raffiner dans le semblant — il y a ceux qui, vaille que vaille, essaieront de maintenir un pan de l'illusion : le leurre se dissipe, certes; mais doucement; tout doucement; avec des retours, des raffinements, des comédies, des coquetteries — «je sais que tu sais; tu sais que je sais; mais nous allons, toi et moi, faire comme si nous ne savions pas.» C'est cela «maintenir les exigences de la séduction». C'est cela, pour moi, la définition de votre «couple réussi».

F. G. : Sa définition... Cela me paraît un peu étriqué... Mais il faut, en effet, savoir maintenir les exigences de la séduction. Je dirais, moi, qu'un couple réussi, c'est une volonté commune de le réussir. Le produit d'un soin extrême. Une œuvre qu'il faut remettre tous les jours sur le métier. Ça n'est jamais fini, donné. C'est très fatigant. Et on ne peut pas faire ça tout seul.

B.-H. L. : Dès qu'il y a de la séduction dans l'air, on ne peut pas «faire ça tout seul». Mais quant à dire que c'est fatigant... Non. A mon tour de trouver le mot étriqué. Je ne dirai pas que c'est fatigant.

F. G. : Vous voulez dire que c'est épuisant?

B.-H. L. : Ni fatigant ni épuisant. Le scénario, il me semble, ne se déroule jamais sans un minimum de grâce...

F. G. : Sans doute. Il ne faut pas que l'on y sente l'application. Mais cela suppose tout de même une tension, une vigilance. Le «couple réussi» dont nous parlions mérite cet effort...

B.-H. L. : Pas un effort non plus... Non, pas un effort...

F. G. : Ce n'est pas la règle, c'est vrai. Nous connaissons, vous et moi, plus de couples ratés ou au moins boiteux que de couples réussis, mais l'envie que ceux-ci inspirent généralement montre bien que quelque chose, en tout homme et en toute femme, aspire à cette réussite-là...

B.-H. L. : Le plus souvent, en effet, cela se passe mal. Un couple, c'est une fatalité. Ou un drame. Ou l'enchaînement de deux âmes associant leur misère, leur néant. Parfois, cela se passe mieux. Ou presque bien. Et c'est comme une grâce... Un prodige... Une aberration des corps... Un miracle... Voilà tout ce que l'on peut dire...

F. G. : Il n'y a sans doute pas de modèle... Pas de formule magique...

B.-H. L. : Les amants sont seuls, vous savez. Il ne faut pas perdre de vue qu'ils sont seuls. Même si ce sont des solitaires qui ont l'étrange habitude de ne pouvoir se passer l'un de l'autre.

F.G. : En somme, l'amour ne serait qu'un cache-misère, et le couple une façon d'être seul à deux avec, quelquefois, brièvement, des moments de grâce...

Voilà une note bien noire pour finir. Heureusement, elle n'empêchera personne de succomber à l'« essaim éternel du désir »...

ÉPILOGUE

Le moment est venu de nous séparer. On n'en finirait pas d'explorer ces terres où nous nous sommes aventurés, où tant d'autres nous ont précédés, où tant d'autres nous suivront qui buteront également contre l'énigme sans cesse renouvelée : un homme, une femme, qu'est-ce que c'est ? et l'amour ? et le désamour ? Si nous avons faiblement contribué à cerner ce mystère, en jouant au jeu de la vérité, ces pages auront un sens. Merci, en tout cas, pour ces moments passés à nous affronter. J'en garderai le plus doux souvenir.

F. G.

Je garderai, moi aussi, un bien joli souvenir de cet été et de ces conversations. Je ne suis pas vraiment certain qu'elles soient de nature à éclairer quiconque — ni, à plus forte raison, à « cerner » quelque mystère. La vie est un noviciat, n'est-ce pas... Un noviciat perpétuel... Et nous avons assez dit, vous comme moi, qu'il n'y avait guère en ces matières de «leçons» à recevoir ni donner. Mais j'ai aimé que nous fassions comme si. Et j'aime, en fin de compte, ce drôle de livre. L'amour? le désamour? Autant de questions dont je n'aurais pas eu l'audace, sans vous, de parler si librement. Merci.

B.-H. L.

TABLE

Composition réalisée par Graphic-Hainaut
59690 Vieux-Condé
et achevé d'imprimer en avril 1993
sur presse CAMERON
dans les ateliers de la S.E.P.C.
à Saint-Amand-Montrond (Cher)

No d'Édition : 12282. No d'Impression : 1168.
Dépôt légal : avril 1993.

Imprimé en France